INTRIGUE À GIVERNY

Une enquête de Pénélope

Né en 1966, Adrien Goetz est un écrivain français. Historien de l'art, il est aujourd'hui maître de conférences à la Sorbonne. Il écrit également dans divers titres de la presse artistique et il est le directeur de la rédaction de *Grande Galerie, le journal du Louvre*. Il est l'auteur de plusieurs romans : *La Dormeuse de Naples*, couronné par le prix des Deux Magots et le prix Roger Nimier, ou *Intrigue à l'anglaise*, qui obtient le prix Arsène Lupin en 2008. *Le Coiffeur de Chateaubriand* a obtenu le Grand prix Palatine du roman historique. Adrien Goetz a reçu en 2007 le prix François Victor Noury décerné par l'Académie française.

Paru dans Le Livre de Poche :

À BAS LA NUIT !

LE COIFFEUR DE CHATEAUBRIAND

INTRIGUE À L'ANGLAISE

INTRIGUE À VENISE

INTRIGUE À VERSAILLES

ADRIEN GOETZ

Intrigue à Giverny

Une enquête de Pénélope

ROMAN

GRASSET

© Éditions Grasset & Fasquelle, 2014.
ISBN : 978-2-253-18275-7 – 1re publication LGF

Monsieur Monet, que l'hiver ni
L'été sa vision ne leurre
Habite, en peignant, Giverny
Sis auprès de Vernon, dans l'Eure.

STÉPHANE MALLARMÉ,
Vers de circonstance, pièce 38.

PROLOGUE

Le Tigre à Giverny

Giverny, lundi 18 novembre 1918

«C'est fini ? demande le peintre.

— Oui, dit le Tigre.

— La Victoire !

— C'est mon premier jour de congé ! »

Clemenceau rit et Monet pleure. Ils s'embrassent.

L'armistice a été proclamé.

Monet portait un costume d'étoffe claire, coupé pour lui, mélange de blouse de peintre retenue seulement par le bouton supérieur, sous le menton, et de cape de gentleman-farmer. Il a ajouté, par ce froid humide, un gilet couleur taupe qu'il affectionne, parce qu'un bon jardinier, dit-il toujours, aime les taupes. Il est une taupe. Il gratte, il se barbouille le museau dans la terre, il bat des pattes, cligne les yeux en découvrant le soleil. Avec bonhomie et un briquet, il allume une cigarette. Clemenceau est en costume gris, comme dans son bureau, à Paris.

Marguerite, la cuisinière, a osé écouter un peu, et elle n'a pas su raconter grand-chose. Ils ont enlevé de la grande table en bois la nappe en cretonne, avec ce motif de fleurs bleues et roses un peu passé choisi jadis par Alice Monet, ils l'ont pliée en diagonale, ils ont étalé des papiers que Clemenceau avait apportés.

« Vous voulez venir au salon ?

— Vous êtes un bourgeois. La cuisine me va mieux.

— Un paysan ! Mon salon, c'était la grange, j'y ai tout fait faire moi-même, pendant qu'au jardin les enfants bêchaient, sarclaient, arrosaient avec moi. Nous nous sommes étendus d'année en année... J'ai prévu un déjeuner léger, avec ce gâteau de rhubarbe, spécialité de la maison, du vin d'Anjou et de Champagne. Vous allez me raconter la paix.

— Et comment nous allons la gagner, après avoir gagné la guerre. »

En attendant Clemenceau, Monet jouait au jacquet avec Blanche, sa belle-fille, qui était comme sa fille adoptive. Le jeu était encore ouvert sur la table. Blanche n'avait pas osé descendre saluer le Tigre. Elle aimait peindre, et Monet lui avait appris à attaquer les toiles exactement comme il le faisait, elle partait avec lui dans les champs, et elle peignait à ses côtés des meules, des peupliers. Elle était la seule élève qu'il ait jamais eue, et le résultat, parfois, était tellement réussi qu'Alice Monet elle-même, à la fin de sa vie, ne savait plus qui avait signé, si c'était sa fille ou si c'était son mari.

Piquée dans une boule de verre bleu, une seule rose blanche, sur la table, jouait dans la lumière. La rhubarbe avait le parfum de la paille humide. Monet avait enlevé ses lunettes pour que Clemenceau, qui n'oubliait jamais qu'il était médecin, puisse inspecter ses pupilles. Ça semblait s'améliorer un peu.

Pendant ces quatre années, il n'y avait eu que la boue, les tranchées, les couleurs de la mort. Monet pense à Duboc, le fermier de la maison voisine, mort pour la France, à tous les autres, dans le village et aux alentours, tombés au champ d'honneur.

« Vous avez une voie ferrée qui passe dans votre jardin, c'est bien commode, mon cher Monet. Aujourd'hui, je suis venu en voiture officielle, ça va plus vite... On a longé la Seine, j'avais oublié comme ça pouvait être beau. Un vrai lacet de corset !

— On ne vous aurait pas laissé monter dans un wagon, vous auriez eu un triomphe à la gare avec une cohue du diable ! Tout le monde veut vous voir. Ici, c'est vrai que je peux attendre sur le perron mes visiteurs illustres. Les locomotives, j'ai adoré les peindre, presque autant que les fleurs, alors j'aime les voir ensemble d'un seul coup d'œil.

— Monet, vous savez que j'ai une idée pour vous...

— Ah non, pas de décoration, Renoir en a accepté une, je l'ai assez engueulé. Décorez des soldats !

— Qui parle de ruban ! Je ne suis pas venu vous faire un cadeau, mais vous en demander un. Une grande décoration justement, le mot n'est pas mal choisi, pour la France. Vous me disiez dans votre lettre que vous aviez des idées de dons pour le musée des Arts décoratifs, en attendant de finir au Louvre – je vous le souhaite, le plus tard possible –, mais je crois que je vais exiger de vous un peu plus qu'un legs de deux tableaux aux Arts décoratifs...

— Je ferai tout, mais d'abord pour vous, mon ami, mon frère d'armes. Vous m'expliquerez au déjeuner. J'avais tellement peur de mourir avant la Victoire. Allons rendre visite à mes nymphéas. Les nénuphars sont paresseux, vous savez, ils se lèvent tard, un peu comme certaines belles personnes que nous connaissons. J'ai mon vieux jardinier qui s'en occupe : les nymphéas il leur faut un soigneur en permanence, ce sont des boxeurs sur le ring, comme nos amis américains.

— Je n'en peux plus de la politique, de la guerre, de tout. Oui, parlez-moi de jardinage, Monet.

— Je les avais plantés pour le plaisir, parce que j'aimais les voir. Je croyais que j'avais fabriqué un jardin comme tous les autres, comme c'est la mode, et voilà tout. Un jour, c'était une féerie, je suis resté à les regarder. J'ai pris ma palette, j'ai commencé à les peindre avec rage. Depuis, je suis fidèle, voici des mois que je n'ai plus d'autre modèle. J'aurais tant voulu combattre, avec nos poilus.

— Vous avez combattu, vous aussi, vous le savez bien.

— Oh, avec des toiles et des couleurs... Je me sens si vieux. Je ne sais rien faire d'autre. Maintenant, nous pouvons mourir. Vous viendrez suivre le petit corbillard de Giverny ?

— Ne dites pas de bêtises ! C'est vous qui irez à mon convoi.

— Vous ne voudriez quand même pas me faire entrer à Saint-Louis-des-Invalides !

— Vous voulez rire, ça sera sans cérémonie, sans discours. Imaginez Foch avec sa moustache et Poincaré avec sa serviette, en rang d'oignons derrière ma caisse. Je serais capable de revenir à moi. Tout serait à recommencer. Je ne veux que le minimum, c'est-à-dire moi-même.

— N'oubliez pas d'exiger qu'on brûle vos papiers !

— Surtout vos lettres, mon vieux Monet, il faudra qu'on en fasse une bonne flambée, que rien ne reste de toute notre aventure.

— Alice aurait tant aimé être avec nous, je le sais.

— J'aurais voulu qu'elle soit là, mon pauvre Monet.

— Sept ans déjà qu'elle est partie. En 1908, j'ai cru qu'elle allait devenir folle. Vous vous souvenez ?

— Non. Entre-temps, avec la guerre...

— Elle ne s'est jamais remise de l'affaire de la rue de la Pépinière, ce crime...

— Qui y pense encore ? Nous sortons de la plus grande boucherie que le monde ait connue, les crimes d'autrefois sont des broutilles, un autre siècle commence, qui efface les meurtres du siècle précédent. Si Alice avait pu connaître la suite de l'histoire... Montrez-moi de la peinture, Monet... »

Monet a emmené Clemenceau dans son nouvel atelier, un hangar moderne, avec des poutres métalliques, construit en 1915 pour peindre de grands formats, à l'intérieur, et plus du tout dans le jardin – il y invente une autre peinture, avec des nymphéas imaginaires sur de longues toiles... Cet été-là, un jeune homme nommé Sacha Guitry était venu avec un matériel de cinématographe. On voit l'image bouger, il manque le son. Monet a parlé quand même, il voulait qu'on voie remuer ses lèvres dans sa barbe.

Tard dans l'après-midi, dans la salle à manger peinte en jaune, et ensuite dans la chambre du peintre, à l'étage, le saint des saints, où ils se sont enfermés pour fumer cigare sur cigare dans la lumière dorée de l'automne, Monet et le Tigre parlaient encore...

PREMIÈRE PARTIE

Des crocodiles dans les nymphéas

« Il est très regrettable que je me sois tant obstiné
à rester à Bordighera ; ici, à Monaco, c'est bien
mieux mon affaire et j'aurais pu faire les merveilles
que tout le monde a dit attendre de mon voyage. »

CLAUDE MONET,
lettre à Alice Monet, Monaco, 7 avril 1884.

1

Le Cercle des suspects

Principauté de Monaco, mercredi 22 juin 2011

À la terrasse du Café de Paris, devant la façade du casino de Monte-Carlo, Wandrille relit une seconde fois l'article, qui occupe une page entière. Il finit de siroter un grand chocolat glacé, la boisson de son enfance. Dire qu'il aurait pu être le témoin de ce crime, peut-être même l'empêcher.

Wandrille, pour donner un élan à sa carrière de journaliste, avait été un des premiers membres inscrits au Cercle, quand la résurrection de cette vieille institution parisienne était encore confidentielle. Voir, dans le journal de ce matin, ce nouveau club à la mode accéder si vite à la rubrique faits divers, quelle gloire pour les piliers de l'établissement – une gloire à laquelle la femme qui venait de s'y faire égorger aurait été ravie de ne pas participer.

L'adresse du Cercle est splendide, 117, boulevard Saint-Germain, à l'angle de la rue Grégoire-de-Tours. L'hôtel, construit par Charles Garnier, brille de mosaïques et de marbres. Il est bâti selon une géométrie rigoureuse, qui désigne la fonction de l'édifice : un cercle de pierre au-dessus de la porte, un vestibule circulaire, un escalier à double révolution inscrit lui aussi dans un cercle, tout, jusqu'à la salle souterraine où le drame s'est produit, est conçu au compas comme une variation sur les rotondes et les globes. Garnier avait une idée de génie : quand ses édifices seraient des ruines, les archéologues du futur devraient comprendre à quoi ils servaient. Quand on retrouvera, en l'an 4000, la lyre de bronze qui surmonte son Opéra, on comprendra sans peine qu'il s'agissait d'un temple dédié à la musique. Ici, c'est un cercle.

À l'origine, ce petit palais était le siège du « Cercle de la Librairie », créé en 1847 à l'initiative d'un libraire, et qui regroupa au XIXᵉ siècle des imprimeurs, des éditeurs, des typographes, tous les métiers du livre. Ce qui amuse Wandrille c'est que ce lieu, pendant quelques années, abrita l'École nationale du patrimoine. Ici, Pénélope, son amour, passa quelques mois à apprendre le métier de conservateur de musée. Puis l'école avait changé d'adresse et le bâtiment était redevenu un club, assez fermé, avec un alibi littéraire qui était un gage d'élégance et de confidentialité. Pour Wandrille c'était parfait : les clubs historiques de la capitale, l'Interallié, le Tir aux Pigeons, le Polo, c'étaient des endroits où il risquait de rencontrer à tout instant les hommes politiques amis de son père.

Boulevard Saint-Germain, « le Cercle » s'était vite imposé comme un club où il n'y a en réalité pas beaucoup d'écrivains, mais où se croisent des figures de la presse, des médias, des maisons d'édition du quartier. Il est possible d'y déjeuner, de s'y donner rendez-vous et, surtout, la salle de sport est ce qu'on peut faire de mieux.

Wandrille avait trouvé sans peine les deux parrains susceptibles de lui ouvrir les portes de cet antre de jeunes loups, il y venait au moins trois fois par semaine depuis deux ans. Le Cercle est très féminin, à la différence de ses rivaux plus célèbres, et il fait figure d'institution à la fois jeune, ouverte, branchée et très ancienne – puisqu'une habile communication a réussi à faire croire qu'il n'avait pas bougé depuis l'époque où les membres s'appelaient Louis Hachette ou Ambroise Firmin-Didot, Georges Clemenceau ou Eugène Plon.

Le nom de Dimitri Pascal, dans *Le Parisien*, était mentionné, et cela chagrinait un peu Wandrille. Depuis deux ans, le coach sportif du Cercle était devenu un ami. Celui à qui il devait un semblant d'abdominaux et le maintien ferme mais sans excès de ses pectoraux de jeune homme. Il fallait qu'il n'oublie pas de lui téléphoner pour le soutenir, cet après-midi. Le pauvre, c'est lui qui a trouvé le cadavre.

Dimitri Pascal a parlé au journaliste. Une cliente qui était déjà venue de loin en loin, une Américaine invitée sans doute par un membre du Cercle, Carolyne Square, est arrivée vers cinq heures. Elle a pris un thé vert dans le grand salon rond du dernier étage, l'ancienne salle des typographes, feuilleté quelques magazines, ensuite elle est descendue par l'ascenseur vers le hammam

et la salle de remise en forme du sous-sol. Elle s'est
changée. À cette heure-là – il devait être environ six
heures –, il y a toujours beaucoup de monde. Dimitri
était seul, les autres membres du staff étaient en congé,
et il avait dû s'occuper de deux clients qui voulaient
comprendre le fonctionnement de nouveaux appareils
de torture que Wandrille affectionne, un pour les pectoraux, justement, l'autre pour les fessiers – Wandrille se
moque toujours des bijoux technologiques du Cercle,
et appelle Dimitri «le marquis de Sade de la muscu»
quand il détaille avec gourmandise les prouesses que
ses installations devraient permettre s'il faisait l'effort
de suivre le mode d'emploi et d'arrêter le beurre.

Il pose son chocolat sur le visage de Miss France,
la souriante Bretonne qui fait l'actualité de la page d'en
face. Il y a un peu de vent cette semaine, à Monaco.
Il regarde mieux la photo de la victime. Il connaît bon
nombre des habitués du Cercle, mais celle-là ne lui dit
rien, il ne l'a jamais croisée...

Carolyne Square, déclare le coach, s'était donné
pour but de perdre quatre kilos pendant son séjour
à Paris et de conserver son bronzage. Elle habite aux
États-Unis, mais elle passe en France une semaine par
mois. Le journal indique qu'elle a fondé une société de
fabrication de meubles en bois et qu'elle dispose d'une
grande fortune, elle a su jouer la carte de l'écologie et
du commerce équitable. La photo montre qu'en effet
son bronzage perdure sans doute depuis des années et
qu'il n'est peut-être pas entièrement bio. La pauvre.

Dimitri, étonné de ne pas la voir, vers 19 h 30, a fait le
tour des appareils, est entré au hammam, où se trouvait

une vedette du showbiz dont le nom et la présence ici eussent sans doute surpris Louis Hachette – Wandrille retrouve le ton ironique et pince-sans-rire de Dimitri, «seul professeur de gymnastique à avoir accès au second degré», dit toujours Pénélope, qui vient quelquefois boire des cocktails en le regardant suer. Elle appelle cette partie du club «le Nautilus», à cause des lumières tamisées, des murs bleus, des lampes d'aquarium.

Enfin, dans un parfum d'huiles essentielles – ylang-ylang et figue de Barbarie –, il s'était dirigé au fond du sous-marin vers les quatre ou cinq sarcophages qui servent pour l'irradiation aux UV. Pénélope les a inter-dits à Wandrille, en lui répétant ce que sa mère lui avait déjà dit: le vrai soleil avec une bonne crème ou rien !

Le coach raconte dans le journal comment il a sou-levé le couvercle de plastique du premier sarcophage qui faisait face à la porte. Il n'a vu qu'ensuite la mare de sang.

Carolyne Square avait la gorge tranchée. Elle était nue. À côté d'elle se trouvait un grand rasoir traditionnel Durandal fabriqué à Thiers, provenant de l'attirail du barbier du Cercle, rangé dans l'armoire de la pièce atte-nante. Personne n'avait entendu de cri, mais la musique du cours de gym était très forte. Elle ne semblait pas s'être débattue, elle avait les yeux fermés, comme si elle dormait...

Il avait eu le bon réflexe: appeler le commissariat de la place Saint-Sulpice, faire fermer le Cercle pour qu'aucune des vingt-trois personnes qui s'y trouvaient ne sorte, ne toucher à rien. Mais il était lui-même le vingt-quatrième dans le cercle des suspects.

2

Toutes les bêtises que peut entendre
en une même soirée
Impression, soleil levant

*Paris, lundi 20 juin 2011, jour de fermeture au public
du musée Marmottan-Monet*

« Impression sur la commode ! Gonflé ! Vous imaginez la Joconde accrochée au-dessus d'une commode ?
Ou d'une table en marqueterie Boulle ayant appartenu
à Louis XIV, au Louvre, dans la Grande Galerie ?

— *Impression, soleil levant* au-dessus d'une commode
Empire, c'est nouveau ! Audacieux. Ça bouge, ce musée,
dites-moi.

— On se croit sur un stand à la biennale des antiquaires il y a quinze ans !

— Toutes les fantaisies sont possibles dans ce joli
musée que la Culture ne contrôle pas...

— Au moins la commode, elle, a l'air authentique.

— Le Monet est faux ? C'est vrai qu'il était plus jaune la dernière fois...

— Tout le monde le sait, depuis le cambriolage de 1987, l'original est à la cave, dans la chambre forte. Celui-ci, c'est la copie faite, des années avant, par Fernand Legros, un cadeau du roi des faussaires. Avec leurs nouveaux spots, ça se voit un peu, il brille trop. C'est pour ça qu'ils ont dû installer la commode, pour qu'on ne puisse pas y regarder de trop près.

— Ne dites pas ça au vieux Dechaume, il va nous faire une de ses colères. Il a failli tout casser le mois dernier dans son bureau, alors, si la grande presse s'y met ! Il peut devenir agressif. Dans ces moments-là, sa femme part dans des crises de rire suraigu, tout le quartier les entend...

— Oh, pour la fausse *Impression*, je ne dirai rien dans *Le Figaro*, d'ailleurs ma critique est déjà faite. Je la rédige toujours avant de venir aux vernissages. Comme ça je ne suis pas influencé par les œuvres. C'est un métier, vous savez...

— Qui peut regarder les œuvres dans les vernissages ? »

Entre le reflux des invités qui sortent à la fin du cocktail et le flux de ceux qui arrivent pour le dîner officiel, dans l'escalier du musée Marmottan, personne ne semble connaître une certaine Pénélope Breuil. Elle a choisi la mauvaise heure : elle arrive la dernière pour le champagne, et elle n'est pas invitée au dîner, elle va avoir l'air de celle qui s'incruste. Pas assez maquillée, trop de rouge, mal coiffée, comme d'habitude. Tant pis, elle a traversé tout Paris, ce métro La Muette, ça ne devrait pas exister, il faut absolument qu'elle voie cette exposition, et comment on a accroché «ses» Claude Monet.

Pénélope a passé des heures à repenser à cette soirée à laquelle elle n'avait pas eu envie de se rendre, à reconstituer ce qu'elle y avait entendu, à noter les noms de ceux qu'elle avait vus. Cette soirée où, sous ses yeux, la disparition s'était produite. Elle en fera un récit complet à Wandrille, qui voudra en connaître tous les détails – pour comprendre.

Elle a noté les places qu'avaient occupées les uns et les autres. Tous les petits faits. Elle a pu reconstituer scène par scène ce dont elle avait été témoin, jusqu'à l'instant précis où tout était devenu noir.

Antonin Dechaume, sculpteur, membre de l'Académie des beaux-arts, commandeur de la Légion d'honneur et directeur du musée Marmottan-Monet, se tient à l'entrée du grand salon. Il a invité ce soir-là tous les pingouins et les dindons qu'il a dans son fichier, comme il les appelle avec délectation : ces journalistes qui ne savent rien, ces collectionneurs qui ne savent pas ce qu'ils ont, ces mondains qui ne savent que trop qu'ils ont l'air de sortir du *Bal des vampires*, et qui s'en fichent. Il va les éblouir. Une liste plus restreinte d'invités gagne le salon central, pour le dîner, l'air de rien, pour ne pas trop parader devant ceux qui ne restent pas – et que des jeunes gens en cravate rouge aiguillent vers la sortie avec des sourires forcés.

Impression, soleil levant, avec son miroitement bleu peint à coup de virgules, son soleil rond et orange et la silhouette du petit homme dans sa barque au

centre, en a entendu d'autres : depuis le premier jour
où le tableau a vu du public, ce matin mythique du
15 avril 1874, ça n'a jamais cessé.

Dechaume, avec sa femme, une ancienne hôtesse de
l'air de la compagnie Iberia des années 1970, la meilleure
époque selon lui, accueille les visiteurs qui viennent pour
le vernissage de « Monet, l'œil vif ».

Grande beauté andalouse, Paprika Dechaume a mis
une robe d'été très impressionniste, et ses yeux noirs
étincellent. Quand ils se sont mariés, quarante ans
plus tôt, elle avait sept ou huit ans de plus que lui, leur
différence d'âge ne se voyait pas. Aujourd'hui, Paprika
Dechaume arbore des cheveux très blancs, se tient très
droite, assume son âge véritable sans avoir eu recours à
la chirurgie. Tout le monde constate qu'elle est désormais nettement plus vieille que son mari. Elle ressemble
à une vénérable vedette qui fait la publicité pour les
crèmes de soin anti-âge, cela la fait rire, elle en parle
– c'est la seule chose que le patron de Pénélope a su
lui raconter avant de l'envoyer à cette soirée à sa place.

Dechaume jubile et mesure déjà le succès de
l'exposition qu'il a préparée en trois mois, son record
absolu – à Orsay, musée « sérieux », ils auraient bloqué
une équipe pendant quatre ans, ici...

Son incroyable collection mélange des nymphéas
peints par Monet à la fin de sa vie, les vues de son
étang de Giverny illuminé par l'été et des tableaux
napoléoniens.

C'est un des musées les plus visités de France, sans
auditorium, sans service pédagogique, sans service
de la communication, sans bureaux du mécénat, sans
issues de secours, sans ascenseur pour les personnes

qui ont du mal dans les escaliers, un bon musée à l'ancienne, mais avec une boutique qui marche toute seule. Ces gens-là piapiatent parce qu'ils sont jaloux de ses chiffres d'entrées. On va leur servir du Laurent-Perrier. Ils le trouveront tiède.

Sous un brouillard à Charing Cross, parce qu'il y a là une banquette, un homme et une femme bavardent. Ce sont des journalistes que Pénélope a vus à la télévision, Wandrille, s'il était là, donnerait tout de suite leurs noms :

« L'œil vif ? Cela veut dire qu'il peint sur le vif, devant la nature, "sur le motif", disaient les critiques de son temps ?

— Un œil à vif plutôt ? Monet a été opéré des yeux plusieurs fois... À l'époque c'était terrible, se faire ouvrir l'œil... Et son médecin s'appelait le docteur Coutela, ophtalmologue !

— Ce sont surtout les critiques qui ont été vifs, lui pas vraiment...

— Et Clemenceau ! L'œil du Tigre était fixé sur lui.

— Vous savez qu'après l'armistice du 11 novembre 1918, la première visite que fit Clemenceau, le père la Victoire, fut pour Monet, à Giverny !

— Clemenceau n'avait rien de mieux à faire ?

— Clémentine ! C'est beau cette amitié du grand homme de la République et du grand peintre.

— Tu es naïf, Franck, Clemenceau n'avait pas de temps à perdre. C'est que Monet devait savoir des choses utiles... On n'a jamais enquêté sur le Claude Monet politique, ses réseaux, ses voyages à l'étranger...

— J'attends ton émission, toute la France adore tes "Mystères d'Histoire". Mais là je crois qu'il n'y a vraiment pas à chercher plus loin. »

Au moins, ceux-là s'y connaissent. Pénélope surmonte le brouhaha général qui a commencé dès la
rue et tremble un peu en serrant la main de l'hôte :
un membre de l'Institut c'est toujours impressionnant,
lui a expliqué Wandrille – en lui disant qu'il ne pourrait
pas l'accompagner.

Wandrille est à Monaco. Il travaille, à ce qu'il dit...
Il a pris la direction d'un magazine un peu ridicule,
mais il en faire quelque chose d'intéressant. Depuis
le temps qu'il voulait être « rédacteur en chef ».

Ils vont se fiancer, c'est décidé, enfin. Vivre ensemble.
Avoir un appartement commun. Elle ne pourra jamais
s'habituer, elle est si indépendante. La voisine de
Wandrille apprend le piano, c'est sans doute ce qui le
pousse à vouloir déménager. À quoi tient l'existence...
Elle regarde les bagues des invitées : elle a dit en riant
à Wandrille, devant son ministre de père, qu'elle ne
voulait pas de bague de fiançailles, que c'était ridicule ;
elle regrette un peu.

Elle se présente. Elle a le temps de se dire que sa
jupe mauve ne va pas du tout. Elle se force à sourire à
la dame très mince et très élégante qui lui tend la main,
puis se tourne vers son mari, magnifique directeur en
costume Armani, rayures tennis.

Aucun musée ne fait jamais de soirées pareilles. Où
est-on ? Elle est « prêteuse ». C'est ce qu'elle dit en
bafouillant, dans son jargon de musée, comme elle aurait
dit : « Excusez ma tenue, j'arrive de la campagne... »

« Prêteuse ? Oh ! Vous n'êtes pas comme la fourmi
de La Fontaine alors.

— C'est là mon moindre défaut.

— Une conservatrice qui a de l'esprit, je vous engage ! Je n'ai que des raseuses ici, n'est-ce pas, Paprika ? »

Mais Paprika parle en anglais avec un armateur grec qui l'invite à Patmos. Pénélope répond à l'académicien, avec un gentil sourire :

« J'ai déjà un poste au Mobilier national, vous savez, je viens d'arriver, je n'en bougerai pas pour un empire.

— De l'Empire nous en avons partout, vous connaissez nos collections ! C'est vous qui nous avez prêté les espèces d'essais de tapis faits d'après les Nymphéas ? Quand on les a déballés j'ai pris ça pour des serpillières... Mais ce sont des Claude Monet que personne n'a jamais vus !

— Je sais c'est terne, c'est jaune, ça ne va avec rien, mais ce sont les seuls Monet conservés dans nos collections.

— Il y a des trésors dans les réserves des Gobelins.

— On ne les montre jamais.

— Et pour cause.

— Ce sera une découverte.

— Le clou ! On va faire sensation. Vous vous souvenez de la scène du *Père Noël est une ordure* : "Oh, une serpillière, il ne fallait pas..." ? Vous restez pour le dîner, on a un désistement, j'entends que la femme de notre cher Rigopoulos n'a pas pu venir, Paprika vous montrera à quelle table, je tiens à vous avoir, Pénélope... c'est bien ça, votre prénom, toujours les tapisseries ? Vous en avez fait un métier, forcément... »

Depuis que ses confrères de l'Académie des beaux-arts, propriétaire de ces lieux, l'ont élu parmi eux sous la coupole, puis à la tête de la fondation Marmottan-Monet, cet Antonin Dechaume n'arrive plus à sculpter, dans son atelier de Montparnasse. La sculpture c'était bon pour l'époque où il avait faim et où il avait du temps. Désormais, il est lancé dans une autre vie, celle d'organisateur de noces et banquets culturels, et il est parfait. Il a enfin trouvé un rôle pour sa femme, il se sent utile – et soulagé. Quand il se lève le matin, il se récite la liste des membres illustres de l'Académie des beaux-arts : Charles Le Brun, Mignard, Rigaud, Chardin, Ingres, Delacroix... Et il ajoute : « maintenant, c'est nous ». Et selon les jours, il y met de la fierté, de la lassitude, du découragement ou de l'ironie. Mais dans tous les cas, sa phrase lui procure une indicible douceur, que seuls ses confrères peuvent, peut-être, partager.

Ah, la proverbiale mauvaise éducation des gens bien élevés, pense Pénélope, « un désistement », il se croit drôle, je sers de bouche-trou.

Il est assis sur un tas d'or. Quatre-vingt-douze tableaux de Claude Monet, dont le plus célèbre, entouré d'une ribambelle d'iris, nymphéas, ponts japonais, au choix, qu'il loue périodiquement, du Texas au Japon, à l'émirat de Barjah bientôt. Aucun compte à rendre à personne – une rente, de quoi organiser à coup d'échanges les plus belles expositions qui soient et traiter d'égal à égal avec les plus grands musées du monde. Quatre-vingt-douze Monet, sans compter les carnets de dessins, c'est une extraordinaire puissance de feu. Un vaisseau bardé de canons. Avec ça, on fait ce qu'on veut, on emprunte des Rubens et des Rothko, on voyage, on dîne.

Pénélope identifie vite les gens qu'elle connaît, au moins de vue. Les Japonais sont venus bien sûr. Monet les accueillait déjà à Giverny, et leur montrait qu'il avait au mur des estampes d'Outamaro et d'Hiroshige. Elle repère des écrivains, des stars de la télévision. C'est étrange de réunir tout ce petit monde.

La coutume dans les musées veut qu'on fasse une première visite et éventuellement un dîner avec les collectionneurs et conservateurs des institutions qui prêtent, et un autre vernissage pour la presse avec parfois un cocktail un peu misérable, pour faire comprendre que ce lieu a besoin d'être soutenu et défendu. À Marmottan, les règles semblent différentes : cocktail raffiné et dîner de gala. Et les journalistes sont grisés de dîner avec les grands prêteurs, les collectionneurs suisses et les conservateurs de Boston ou de Londres qui ont accompagné leurs tableaux.

« C'est comme si on allait dîner dans un jardin, crie une dame ruisselante de perles, regardez ces pétales, ces corolles, ces feux d'artifice de jacinthes et de tulipes, il y en a dans presque tous les tableaux, c'est pour cela que j'aime Monet, il peint si bien les fleurs. Ces dahlias, c'est pour moi. C'est si calme. On sent que rien ne peut nous arriver. Je ne vois que du bonheur ici.

— On nous a fait croire qu'il représentait la vie moderne, qu'il était de son temps. Mais pour une ou deux vues de la gare Saint-Lazare, combien de champs de coquelicots ! Ce qu'il aime, c'est la vieille France, la France rurale. Il ne peint pas les mines ou les hauts-fourneaux ! explique le président du musée d'Orsay, qui a cligné de l'œil en reconnaissant Pénélope, mais qui poursuit. *La Forge*, à cette époque-là, c'est un sujet qui inspire Fernand Cormon, qu'on classe dans le camp adverse, les académiques...

— Vous n'allez tout de même pas nous dire que Monet est un conservateur.

— Un réac, chère madame, qui enthousiasme le grand marchand Paul Durand-Ruel, catholique et royaliste. Renoir, c'est pire, il ne rêve que du retour au XVIIIe siècle, il achète des cadres anciens, en bois sculpté et doré, pour mettre en valeur ses tableaux, il a un vrai goût Pompadour. C'est pour ça que ces artistes ont plu tout de suite aux Américains.

— Vous nous cassez nos rêves. Ils n'ont tout de même pas peint des châteaux !

— Leur idéal c'est la fermette ! Ils ont un goût de cocotte. Ils veulent avoir la petite propriété à l'ancienne où on vit parmi les jacinthes et où on mange ses légumes. Giverny, c'est ça : c'était une masure, Monet l'a fait agrandir, fier de ce petit fronton triangulaire qui fait XVIIIe. Monet a adoré peindre des décors pour son ami Ernest Hoschedé, dans son château de Rottenbourg...

— Ah oui, celui dont il a finalement pris la femme, Alice.

— Une forte femme qui ne détestait pas la vie de luxe, les palais de Venise et les vieilles demeures, la bonne dame de Giverny ! Et Renoir, il peint pour les grands banquiers Cahen d'Anvers des portraits dans l'esprit du XVIIIe, qui seront accrochés dans leur château de Champs-sur-Marne. Renoir et Monet ce sont les plus traditionnels des artistes, qui peignent la France éternelle qui s'en va – pour des admirateurs parvenus, américains ou français, qui veulent jouer aux fortunes anciennes et aux amateurs éclairés.

— Vous allez mettre le feu à Orsay en tenant des propos pareils !

— L'orient de vos perles fait mon admiration.

— Je vous ai légué mes tableaux, les perlouses, c'est pour ma fille, bas les pattes. »

Pénélope fait mine de regarder les toiles pour écouter mieux. Le musée, dont elle ne se souvenait pas très bien, ressemble à une maison de poupée, c'est l'ancien pavillon de chasse des ducs de Valmy, un joli nom qui sonne bizarrement, mélange de révolution et d'aristocratie, de moulin et de couronne. Le couple Dechaume habite au fond du jardin.

Les ducs de Valmy descendent du maréchal Kellermann, vainqueur des ennemis de la Révolution à la bataille de Valmy en 1792, qui n'avait pas trouvé anormal quelques années plus tard de porter, devant le pape, sur un coussin de soie, la couronne de Napoléon dans la nef de Notre-Dame. Les Kellermann de Valmy avaient du panache et le sens du confort. Ce nom historique n'est plus porté aujourd'hui, le dernier duc est mort à la fin du XIXe siècle, seule cette maison en perpétue le souvenir.

Rien ne prédestinait ce petit palais napoléonien à devenir le musée de l'impressionnisme – et les deux époques s'entrechoquent dans chaque salle.

C'est ce qu'avait aimé Antonin Dechaume. Il adorait les coq-à-l'âne. La *Carpe-lapin* en bronze du rond-point de la Défense était la sculpture qui avait fait sa célébrité dans les années 1970. Il invitait ensemble le critique du *Figaro* et celui des *Inrocks*, ou le redoutable Didier Rykner qui écrivait sur son ordinateur portable dans sa cuisine les coups de gueule de latribunedelart.com et le président du Louvre, qu'il déteste, de jolies conservatrices croisées çà et là au hasard des « convoiements » de tableaux et des fils de famille du quartier déjà usés par l'ecstasy.

« C'est le secret de mes vernissages. Il faut de l'électricité dans les fleurs, des gens qui s'évitent et d'autres qui se draguent, des crocodiles sous les nymphéas. La rencontre du pôle positif et du pôle négatif. Diriger un musée c'est du théâtre ! »

Dechaume le disait à la cantonade, sûr que ce propos serait repris. Paprika surveillait son petit monde, nez relevé, regard d'aigle.

Pénélope repère une bonne sœur. La cinquantaine poivre et sel, pull gris, jupe longue, chaussures de marche – en train de parler dans un anglais parfait.

Elle s'entretient avec une Américaine peinturlurée, en robe du soir noire à bretelles, minuscule sac Chanel, devant un des Monet les plus audacieux, un tableau de la dernière période, une sorte de Jackson Pollock, avec des éclaboussures de vert et de bleu.

Qu'est-ce que ces deux-là peuvent bien avoir à se dire ? Elles sont bien les seules à commenter les tableaux.

Pénélope se délecte, en s'approchant, de morceaux de conversations attrapés au vol entre deux vieillards en pleine compétition de modestie :

« Oh, tu sais, ma musique, je ne me fais pas d'illusion, on ne la joue déjà pas beaucoup de mon vivant... Alors que toi, tes livres, des succès...

— Des succès des années 1970 ! Plus personne ne pourrait citer un titre, rassure-toi... »

Pénélope comprend que l'Américaine, savante et appliquée, explique à la bonne sœur ce qu'il faut voir dans ce Monet déconcertant. Dechaume les observe de loin. Le choc de deux planètes : la mondaine de Park Avenue et la petite religieuse souriante en jupe marron. La pauvre découvre un monde. Elle a dû en rester à Raphaël et à Ingres. Si elle aime un peu l'art moderne, elle doit vénérer Matisse, qui a fait la chapelle de Vence. Un délirant Monet de la fin, barbouillé, explosif, vert et rouge avec un grand éclat de jaune au centre, cela peut la secouer.

Et elles ne font pas que parler, elles scrutent la toile. Pénélope n'a pas osé s'approcher trop. Elle devait ensuite bien le regretter.

Ce qu'elle entend l'étonne : une vraie conversation d'experts, bien différente des cancans des journalistes et des parasites qui remplissent les salles. Qui sont-elles ? L'Américaine peut être une collectionneuse, ou la présidente d'un « comité Monet » à New York ou à Los Angeles. La bonne sœur, c'est plus difficile à dire. C'est la magie de Monet : une langue commune lie ces deux femmes qui n'ont jamais dû se rencontrer.

« Ce tableau ne peut pas avoir été peint après ceux qu'il a faits pendant son séjour sur la Côte d'Azur. Il date forcément d'avant. Le catalogue est faux.

— C'est capital. Cela voudrait dire qu'avant sa maladie ophtalmique, Monet voulait peindre comme ça. Il avait déjà oublié l'impressionnisme.

— Ça nous sommes d'accord, Monet est un peintre qui a eu une période impressionniste, pas si longue, comme Renoir...

— Renoir ensuite est devenu un excellent peintre classique, qui a fait des nus en atelier, des nymphes, des sujets mythologiques et des fleurs. Monet, lui, est devenu le premier peintre du XXe siècle. Si nous avons raison, Carolyne, ce rejet de l'impressionnisme par Monet commence plus tôt qu'on ne croit.

— Oui. Il faudrait juste être sûr de la date que vous avancez, et confronter l'œuvre avec d'autres tableaux. Je suis tellement contente qu'on ait pu enfin se rencontrer. Je vous ai reconnue tout de suite sans vous avoir jamais vue, c'est fou, non ? Il faudrait qu'on me montre une toile qui ressemblerait à cela, peinte entre Nice et Monaco, contemporaine de celle qui est dans les collections du palais princier de Monaco par exemple, mais peinte avec cette fougue, cette frénésie de couleurs... »

Et Pénélope entend la religieuse répondre, avec netteté, tandis que le serveur du buffet débouche une bouteille de champagne :

« Si un tel tableau réapparaissait sur le marché, si en plus il ressemblait aux deux vues de Monaco qu'on connaît, ça serait l'amorce d'une "série", la première qu'il aurait peinte, avant les meules, avant les peupliers, avant les cathédrales de Rouen bien sûr, ou les vues de la Tamise.

— Une série monégasque ! J'en connais qui pourraient tuer pour l'avoir...

— On tue à partir de quel chiffre de nos jours ? La mère supérieure de notre couvent ne nous dit pas tout, vous savez... »

3

Court-circuit

Paris, lundi 20 juin 2011

Cette Pénélope Breuil qui a la flamme dans l'œil, envoyée par le Mobilier national, Antonin Dechaume le malicieux a eu l'idée de l'asseoir au dîner à côté de sa chère petite bonne sœur. Sa femme et lui avaient tenu à inviter cette religieuse passionnée. Elle fait toujours bon effet, la sœur de Picpus qui a pensé cette fois à laisser son anorak au vestiaire. Dechaume aime quand on se sent dans son musée comme dans une maison de campagne. Les portes sur la rue viennent d'être fermées. La lumière est douce. Cette religieuse a un regard de madone qui sait ce qu'elle veut.

Elle avait toutes les raisons d'être là, lui le savait, mais nul ne la connaissait parmi les experts de Monet, et il était sûr qu'elle arriverait à faire la conversation durant tout le dîner sans lâcher aucun secret. Tout cela

l'enchantait. Il avait été surpris d'abord de la voir aborder Carolyne Square...

Pénélope avant de gagner sa chaise dorée fait le tour
de l'exposition, histoire de vérifier que ses œuvres
favorites sont en bonne place : ses deux Monet au petit
point, accrochés dans une sorte de couloir entre deux
salons, n'ont pas mauvaise allure.

Un vieil homme se penche sur les deux tapisseries, les
yeux perdus dans les motifs. Pénélope le reconnaît, c'est
un artiste célèbre, Kintô Fujiwara, un trésor vivant du
Japon, qui a accepté l'année précédente de s'expatrier
pour réaliser son rêve de toujours : devenir le conservateur de la maison de Giverny, un vrai passionné de Monet.

Là-bas, il paraît que tout le monde l'aime, des jardiniers aux artistes en résidence. C'est un sage. Il parle
avec le conservateur du musée des Beaux-Arts de Rouen,
qui lui décrit ce que sera le grand festival « Normandie
impressionniste ». Pénélope écoute un peu en pensant,
narquoise, à tous ces paysages de Méditerranée que
Monet, Renoir ou Cézanne ont tant aimés, à la Bretagne
de Gauguin et des maîtres de Pont-Aven.

Au centre du grand salon, sur la nappe éclatante
de cristaux et d'argenterie, le surtout de table de
Lucien Bonaparte, pièce importante de la collection
Marmottan, a été briqué : des divinités de bronze doré
tiennent des flambeaux pour illuminer les bouquets de
roses. Mais on n'a pas osé allumer les bougies : donner
un dîner parmi les tableaux c'est déjà osé. Autant ne pas
risquer de mettre le feu. Le feu prend si vite dans tous
ces hauts lieux historiques qui ne sont pas aux normes.

Les cassolettes de risotto fument devant une cathédrale de Rouen rissolée par les feux du crépuscule.

Voici la table du commandant, comme sur un paquebot, celle que Paprika et Antonin Dechaume s'apprêtent à présider, chacun à un bout, au centre du grand salon. Dans les autres pièces, de petites tables rondes sont dressées avec prestesse après la fin du cocktail. Pénélope trouve son nom déjà calligraphié sur un bristol à côté des verres, à la table « Varengeville », entre « Étretat » et « Venise », belle efficacité. Il doit y avoir un calligraphe enchaîné à la cave qui travaille à la minute. En un quart d'heure, le plan de table avait donc été refait. Pénélope n'en revient pas.

Chaque table porte le nom des lieux peints par Monet : Rouen, Bordighera, Monaco, Londres, Sandviken... Qu'était-il allé faire en Norvège, dans ce village près d'Oslo ? Pénélope n'en sait rien, il faudra qu'elle s'intéresse un peu plus à la vie de Monet, un jour, quand elle aura le temps...

Elle regarde les noms de ses voisins : « Maître Vernochet », le commissaire-priseur du grand monde et de France 3, elle le connaît depuis longtemps, très sympathique, et « Sœur Marie-Josèphe ». La pauvre religieuse va avoir deux voisines, quelle maison convenable !

« Ma femme adore accrocher les expositions elle-même. Paprika a un goût fou. Vous aimez son idée de placer *Impression, soleil levant* au-dessus de cette commode de 1810 signée Jacob-Desmalter ? Je vais en faire une carte postale. Ça résume tout mon musée. J'aime tellement lire vos papiers dans *Libération*, vous savez. Vous avez été vache avec Orsay la semaine dernière...

— Ce n'était pas ma tasse de thé. Ici, c'est somptueux, cher maître, cette idée de la commode Empire, bluffant. Et cette vitrine centrale avec les lunettes de Claude Monet, j'en suis fou ! Jamais rien vu d'aussi opaque.

— Mon budget ! Les lunettes, c'est ce que les gens vont préférer. La clef de tout. Une relique. Vous aimez les reliques, ma mère, voici la nôtre, et je peux vous dire qu'elle ne guérit de rien. On les a fait étudier par des médecins. La peinture du vieux Claude, ses effets de flou, ses lumières, ça ne s'explique pas autrement ! Et avec l'âge, ça ne s'arrangeait pas... Les tableaux étaient de plus en plus modernes. »

Quelques minutes plus tard, tout le monde est assis, et c'est maître Vernochet qui tient la conversation à la table « Varengeville » :

« On dit le "surtout de Lucien Bonaparte", mais c'est faux. C'est sans doute le boniment de l'antiquaire qui a vendu ce truc. Cela dit, ça en jette, avec ces fleurs. Paprika est une maîtresse de maison parfaite... Vous devriez demander les bouquets pour votre chapelle, ma mère, Paprika vous les ferait livrer demain matin...

— Chez nous, c'est austère. Notre église de Picpus est un mémorial pour des victimes, les guillotinés de la Révolution. Nos seules fleurs, ce sont nos prières... »

Les idées de maître Vernochet sur Claude Monet sont iconoclastes : il prétend que tout n'est pas clair dans la carrière du peintre, qu'il y a ce qu'il appelle des « zones d'ombre ». Comment le peintre maudit qui avait tenté de se suicider et n'arrivait même pas à subvenir aux besoins de sa famille est-il devenu le patriarche de Giverny, bien installé dans sa jolie maison, et terrifiant tout le voisinage en roulant carrosse dans cette célèbre Panhard-Levassor qu'il avait achetée une fortune ?

Pénélope hasarde qu'il s'était enrichi à mesure que le succès de ses tableaux allait grandissant. L'impressionnisme, maudit en 1874, était devenu très à la mode vers 1900, les Américains en étaient fous...

« C'est vrai, murmure Vernochet, mais je suis commissaire-priseur, je sais comment on fait fortune avec des tableaux, et pour Monet j'ai regardé les chiffres dans les archives de la galerie Durand- Ruel, croyez-moi, cela ne suffit pas. Il y a un mystère Monet. On ne sait pas encore tout de ce qu'a été sa vie... Il achète Giverny pas trop cher, mais c'est une masure, ensuite il y fait faire des travaux, des agrandissements, des embellissements qui le ruinent, en prenant bien garde que la maison ait toujours une belle allure paysanne.

— Aujourd'hui, ça vaut cher un Monet ? demande l'évaporée qui est à sa droite.

— Ce qui est intéressant c'est de savoir quels sont ceux qui valent très cher. On m'en propose un ou deux par an, j'ai une procédure simple, je regarde si l'œuvre figure dans le "catalogue raisonné" établi par Wallenstein.

— Comment fait-on pour que son Monet soit inscrit au catalogue Wallenstein ?

— Difficile, s'il n'y figure pas déjà. Vous connaissez le fringant Thomas Wallenstein ? Très dynamique, il tient à jour les listes de son grand-père, il a hérité d'une fabuleuse documentation. Il devait être là ce soir... Il a

fait aussi, d'après les catalogues anciens et les archives
des galeries, l'inventaire présumé des toiles disparues.

— Beaucoup de Monet errent dans la nature ?

— Il y a huit ans, j'en ai vu passer un vrai, un homard,
une nature morte qui avait échappé à tout le monde et
qu'on connaissait par une vieille photographie d'avant
guerre... Si le tableau est bon, j'appelle tous les clients
susceptibles d'être intéressés. Ensuite, je fabrique
un prix. Les grandes maisons de vente, Sotheby's ou
Christie's, ne procèdent pas autrement.

— Certains Monet sont plus cotés que d'autres ?

— Oui, ceux du début, bien sûr, proches de la naissance de l'impressionnisme. Mais depuis dix ans on
aime plutôt collectionner ceux de la fin, les séries des
meules, des peupliers, impossible de trouver aujour-
d'hui une cathédrale de Rouen sur le marché.

— Et aujourd'hui, alors, c'est cela le plus recherché ?
Le Graal ?

— On pourrait imaginer encore mieux... Je crois,
Pénélope, qu'un dos de saumon cherche à se faufiler
entre sœur Marie-Jo et vous. À toute aventure, il faut
un hors-d'œuvre, servez-vous, le menu dit "à la crème
fraîche de la ferme Saint-Siméon"...

— Je vous laisse la crème des impressionnistes.
"Imaginer mieux", disiez-vous ?

— Oui, une série complète, ou une sous-série : le
collectionneur qui posséderait cinq ou six meules
sous la neige, ou celui qui aurait une suite de toiles,
trois ou quatre, peintes d'un même balcon à Londres
à différentes heures de la journée et qu'on aurait

oubliées... À partir d'une certaine date Monet ne peint plus de l'espace, il peint du temps.

— Et c'est de l'argent ! glousse la voisine.

— Avoir une "série" de Monet, chez soi, comme au musée d'Orsay, trois ou quatre tableaux avec différentes lumières, c'est cela le Graal, mais c'est impossible... »

Pénélope s'est peu servie. Elle commence un léger régime, que ce genre de circonstances met en péril. Après le saumon, vient la poularde «Giverny» aux champignons de Vernon et aux «truffes des Macchiaioli de Toscane».

À voix basse, maître Vernochet, qui se penche vers elle en lui servant du vin de Loire, le préféré de Monet et de son ami Clemenceau, lui explique pourquoi à la table d'honneur il y a Dorothée, «l'idole de votre enfance», l'animatrice du «Club Dorothée» à la télévision – quand elle va dire ça à Wandrille : «Le nom de famille de Dorothée est Hoschedé, elle se rattache me semble-t-il à la famille d'Alice Monet, dont le premier mari était Ernest Hoschedé, glisse le commissaire-priseur avec un sourire. Et là, à gauche, c'est Sophie Renoir, qui avait eu un césar dans je ne sais plus quel film d'Éric Rohmer. Vous voyez, les familles des impressionnistes sont toujours là. Il faudrait comprendre ce qu'ils doivent à leurs ancêtres. Je crois à la psychogénéalogie, c'est bien plus fiable que la psychanalyse, surtout pour nous qui aimons le passé. Vous savez, vous, quel est l'ancêtre qui vous empêche d'agir, ou celui pour lequel, sans le savoir, vous vous donnez tant de mal ? »

Pénélope s'amuse, elle a eu la chance de tomber à la bonne table, on parle de peinture, de collectionneurs et de marchands, on boit du bon vin et les ombres des serveurs se découpent avec art sur les murs tendus de soie bleu pâle. Elle laisse sa pensée errer sans écouter vraiment. Elle regarde ces visages qui l'entourent, elle se dit qu'il faut qu'elle parle un peu, par politesse, avec sa voisine de gauche, la religieuse.

Si seulement elle avait entamé une conversation avec elle à ce moment-là. Mais son oreille s'était égarée un instant.

Antonin Dechaume a la gouaille des faubourgs, vestige d'une époque où il n'y avait pas encore les banlieues. Sa voix porte, il couvre les accents d'adjudicateur de Vernochet :

« Des faux Monet, mais on nous en apporte dix par semaine ici, dans mon bureau ! Hier, on a encore reçu un lot de photos, toute une documentation plutôt bien faite pour une toile sortie d'un stock des Ports Francs de Genève. Les Ports Francs de Genève, c'est la plus grande exposition d'œuvres d'art au monde ! Vous savez bien sûr qui décidera si c'est un vrai Monet ou non ? Ce n'est pas moi, il y a tout un protocole d'expertises et de contre-expertises. Sauf si le tableau est dans le catalogue de Wallenstein, là tout est dit, inutile de creuser plus... »

C'est alors que la conversation cessa net et que le directeur, avec angoisse, regretta de ne pas avoir allumé les bougies. Toutes les lumières venaient de s'éteindre.

4

Nuit de fric-frac à Giverny

Giverny, dimanche 19 juin 2011

Il a actionné l'olive électrique dans un demi-sommeil. Il regarde sa chambre sans étonnement – depuis six mois, il arrive à se lever sans croire qu'il est au Japon, mais là c'est brutal.

Le fracas a réveillé le vieil homme. Est-ce dans sa petite maison ? Ce corps de logis, la ferme Duboc, qui abrite l'administration et quelques chambres ? Les murs en toile de Jouy bleue, avec la petite bergère courtisée par le petit berger, le rassurent. Il a fait un cauchemar. Ce décor n'a pas été changé depuis la réhabilitation de la ferme, mais c'est le goût de toute une époque. Il faudra le garder, si on fait des travaux ici.

Si le bruit venait plutôt de la maison de Monet, à côté ? La nuit tout est verrouillé. Il ouvre la fenêtre. La pluie est de plus en plus forte, et l'orage n'a pas encore éclaté. Tout est noir dehors.

La carte postale pour touristes est loin : cette nuit, cette longue façade qui fuit dans l'ombre a l'air d'une maison hantée. Il hésite à appeler le gardien.

À Kitagawa, chez lui, il aimait les orages. Il arrivait même à les peindre, en quelques traits de pinceau, du temps où il était élève calligraphe à Kyoto.

Kitagawa, cette bourgade au fond du Japon, sur l'île de Shikoku, c'est sa patrie. Il est né là. On y a édifié une seconde maison de Monet, un double de Giverny, avec l'étang aux nymphéas, les mêmes fleurs et les mêmes carreaux bleus dans la cuisine. Kintô Fujiwara avait suivi le chantier, avec passion. Giverny venait d'être restauré de manière exemplaire. La maison de Monet, la vraie, tombait en ruine, tout était moisi, elle était quasiment vide, le jardin était un herbage, l'étang un marais. Tout avait été reconstitué d'après les tableaux et les photographies anciennes. La nature avait été copiée sur des œuvres d'art – voilà pourquoi il avait été très facile de dupliquer l'ensemble au pays du Soleil levant.

Il avait été dans la première équipe qui anima la reproduction japonaise. Il poursuivait en même temps son œuvre de peintre, certain au fond de lui qu'il allait terrasser ses rivaux et devenir un des plus grands paysagistes actuels. Le maître des nuages.

Second bruit, cette fois comme si quelqu'un sautait du mur, des pierres qui tombent. C'est peut-être un chat. Il déteste les chats. Il n'ose pas demander au régisseur de les faire tuer discrètement, il a peur que cela le rende impopulaire aux yeux du petit personnel. Et il y a ses chers touristes, ces veaux qui achètent les calendriers des nymphéas, ils aiment forcément tous aussi les petits chats. L'orage vient d'éclater et couvre tout. Kintô se redresse.

Escalader le mur, c'est facile, et le système de sécurité n'est pas du dernier cri – pourquoi investir dans une protection inutile ? Il n'y a rien à voler dans la maison de Monet. Un pichet en cuivre, une assiette, une chaise peinte en jaune, ça n'a de valeur que grâce à l'ensemble, parce qu'on est chez Monet, et que tout cela lui a – plus ou moins – appartenu. Hors d'ici, ces objets ne valent plus rien, on aurait les mêmes dans toutes les brocantes et vide-greniers des villages voisins.

Les estampes japonaises ont été depuis longtemps remplacées par des fac-similés, les originaux sont dans un coffre à la Banque de France et les tableaux qu'on vient de suspendre aux murs, pour restituer l'atmosphère, sont des reproductions plutôt bonnes, sans valeur. Toute la presse l'a dit et redit, Kintô y a veillé. Cambrioler Giverny, c'est perdre son temps.

Voilà pourquoi, à Giverny, le directeur dort bien. Il a décidé d'aimer tout le monde, les villageois, les commerçants, la petite troupe internationale des «volontaires» qui viennent travailler au jardin, il les voit à peine. Il a un mot pour chacun, son allure de momie bienveillante le sert bien, on l'adule.

Lui ne voit que son œuvre, ce que lui en dit son galeriste, sa cote sur le marché de l'art. Ses excellents amis de l'Académie des beaux-arts lui ont confié le pilotage d'une machine qui marche de mieux en mieux, il suffit d'entretenir un peu les actualités locales au gré des floraisons, de s'entendre avec le musée voisin qui organise des expositions pas si mauvaises. À Giverny, la magie du nom de Monet fait que l'on vient, et que ceux qui ont vu les tulipes ont envie de voir les nénuphars deux mois plus tard. C'est le seul musée au monde qui doit son succès à ses arrangements floraux et à des reflets sur l'eau. Depuis que tout le monde met des photographies sur Internet, la vieille projection de diapositives de vacances est redevenue à la mode, et Giverny, haut lieu du cliché amateur, attire tous les amateurs de clichés.

Les cinquante académiciens des Beaux-Arts, peintres, sculpteurs, graveurs, les photographes admis depuis peu sous la coupole, et les quelques historiens de l'art et grands mécènes qui siègent à leurs côtés, ont long-temps cherché le directeur idéal pour Giverny : Kintô, peintre lui-même, qui a passé sa vie dans la « maison de Monet à Kitagawa » est apparu comme le candidat parfait. Ils sont allés le chercher. Il n'est pas membre de l'Académie des beaux-arts, et n'a pas souhaité devenir « membre correspondant étranger », il leur a donc permis de départager les trois qui s'étaient portés candidats pour le poste, et surtout d'écarter la suggestion d'Antonin Dechaume visant à rattacher à son autorité marmottienne la demeure de Giverny. Faire du musée Marmottan-Monet une annexe de Giverny, ou l'inverse, jamais. Diviser, ça marche toujours bien, et ce sage venu du Japon en imposera à tout le monde, tous les académiciens en sont tombés d'accord – et lui, sur son île, qui les connaissait à peine, avait dit oui.

Dès son arrivée, Kintô avait eu une idée simple. Au Japon, le patrimoine ne se définit pas comme en Occident : un temple reconstruit au même endroit, selon les techniques ancestrales, est digne d'être vénéré.

Et quand les bois de sa toiture sont vieillis, on les remplace, pour qu'elle perdure. La maison de Monet de Kitagawa, pour les Japonais, c'est une maison de Monet, pas une reproduction. Du coup, l'idée de génie a été d'appliquer à Giverny les principes simples qui ont fait le succès de Kitagawa.

Dans son salon, Monet avait accroché des tableaux qui lui rappelaient toutes les périodes de sa vie. Camille, sa première femme, à son lit de mort – aujourd'hui au musée d'Orsay. Alice, sa seconde compagne, devait bien penser à la malheureuse, de temps à autre, quand elle s'asseyait là pour prendre le thé. Une cathédrale de Rouen, une étude ronde pour les nymphéas et, accrochée au second rang, juste sous le plafond, une des toiles peintes lors du séjour aux environs de Nice, sur la route de La Turbie. Le tableau s'intitule *La Corniche de Monaco*. Tout cela était copiable.

Kintô Fujiwara cherche à se rendormir. Il est heureux. Quand on a réussi à éviter la mainmise d'Antonin Dechaume sur le monde enchanté de Claude Monet, on peut se sentir apaisé. Ce pauvre Dechaume, qui ne sculpte plus mais a gardé son atelier pour épater la galerie, à la tête de ce caravansérail que tous les touristes visitent sans savoir pourquoi, parce que sur la liste des choses à cocher il y a, pour l'éternité : « Avoir vu *Impression, soleil levant* », ce tableau vite peint qui est loin d'être le plus intéressant de Monet. De cette période, *Les Coquelicots* sont mieux. *La Pie* du musée d'Orsay, avec cette neige éblouissante, date d'avant et Kintô considère que c'est le vrai premier chef-d'œuvre absolu de Monet.

Le silence est revenu. Kintô s'est alarmé à tort. Il s'allonge à nouveau, ferme les yeux. Il joue, pour se bercer, à penser à son seul vrai ennemi en ce monde. Il le méprise, et cette pensée le rend toujours serein. Dechaume s'escrime à organiser des expositions, à recevoir la terre entière avec sa femme espagnole nunuche, cette pauvre Paprika, cette vieille dame à cheveux blancs. Il s'ennuie à faire remplir par ses petites mains, ses «attachées de conservation» – rien que des filles convenables, pondues par l'École du Louvre –, des bordereaux d'assurances pour envoyer partout ses toiles inestimables, du Museum of Fine Arts de Chicago au musée d'Hiroshima, du Museo Reina Sofia de Madrid à la fondation Gianadda de Martigny. Ça l'occupe. Paprika pourrait se plaindre un peu, car il y en a de jolies, dans ce défilé de filles de l'École du Louvre...

Le vent souffle moins fort. Il imagine les nuages. Son esprit flotte dans le silence enfin revenu.

Ici, c'est plus simple : il n'y a rien, mais c'est le vrai Monet. Un Monet qui est partout dans l'air, dans la terre, dans les mouvements et les ombres, dans l'eau. «Je voudrais être enterré dans une bouée, tellement j'aime l'eau», disait le peintre : c'est cette bulle hors du temps où flotte l'âme du maître que les gens viennent découvrir à Giverny. À la fin, Monet n'aimait plus que son jardin, c'était, à ses yeux, sa plus belle œuvre.

Une branche a craqué. Il n'y a plus de vent. Le bruit s'est détaché sur le fond de la pluie. Kintô est assis sur son lit. Il écoute, dans son pyjama à carreaux. Cela va réveiller les fleurs.

Pour dissuader les rôdeurs qui voudraient voler le magot quotidien que rapporte cette petite usine culturelle, il organise chaque soir, comme un spectacle digne de la relève de la garde à Buckingham, le transfert de fonds avec la camionnette de la Brinks qui bloque la rue centrale du hameau. Il a demandé aux hommes de la sécurité d'être le plus visibles possible.

Un bris de verre, du côté des vieilles serres, celles du temps du peintre, près de la maison. Cette fois, aucun doute : il y a quelqu'un.

Kintô sort, une torche à la main. Il pousse la porte qui fait communiquer la ferme Duboc et la maison de Monet. On arrive dans les serres anciennes. Il a les clefs de la maison. Le vestibule est dans l'obscurité. D'instinct, il s'oriente vers la gauche, vers le salon-atelier. Les meubles à dessins sont en place, il relève le faisceau de lumière vers les grands tableaux.

Face à lui, une silhouette petite, peut-être une femme. Elle tient à la main un grand rectangle sombre, du format d'un tableau. Il n'a pas le temps d'en voir plus, son visage est dissimulé par une cagoule. Elle a sauté.

Elle s'est échappée par la fenêtre en quelques secondes. Le Japonais se précipite, regarde. Elle escalade le mur, avec toujours, au bout de sa main droite, ce tableau rectangulaire. Elle se hisse d'une main, arrive en haut, et passe. Elle ou lui... La petite silhouette noire a disparu. Cela a duré un instant.

Les tableaux sont toujours en place, aussi faux que la veille. Il n'y a pas de vide au mur. Ils sont accrochés à touche-touche, un manque sauterait aux yeux. Rien n'a semble-t-il été emporté. Pourtant ça ressemblait vraiment à un tableau, ce qu'a vu Kintô.

Il faudra dès le matin interdire l'accès de la maison au public pour décrocher tous les faux tableaux, pour vérifier. Car si rien n'a été emporté, l'ombre a peut-être essayé d'apporter une œuvre...

Il y a pensé tout de suite, parce qu'il avait eu cette idée quand on avait reconstitué le salon-atelier avec son accrochage : pour un Monet volé, Giverny était devenu la meilleure des planques. Voler un Monet et le mettre à l'abri ici, parmi les copies, faites selon ce procédé qui mélange peinture et photographie. Elles sont à s'y méprendre. On accroche l'original, et on cache la copie derrière un meuble, ou on l'emporte...

Il est peut-être arrivé juste à temps, elle a pris peur, elle a remporté le tableau qu'elle voulait planquer. Sauf si elle a emporté un faux, en laissant un original à la place, pour l'abriter en attendant de revenir le chercher... C'est compliqué, mais ingénieux. Il suffira de tout inspecter : les copies sont sur des toiles neuves, avec une étiquette au dos. Fujiwara a l'esprit vif. Il ne voit pas d'autre explication à ce « cambriolage » après lequel toutes les peintures – fausses – sont toujours là.

Il aurait bien aimé la plaquer à terre, la faire avouer – car au fond de lui, même s'il n'a vu qu'une silhouette en noir, il croit que c'est une femme.

À son âge, Kintô n'a pas l'énergie de poursuivre les belles rôdeuses.

On verra demain. Il monte à l'étage, contrôle que tout est à sa place, dans la chambre du peintre, dans les pièces attenantes. Rien ne manque. Il faudra faire un

inventaire, mais au premier coup d'œil, tout va bien.
Rien n'a été volé, juste un peu de verre brisé dans la
vieille serre. Il hésite à appeler le capitaine de la gendarmerie sur son portable. À quoi bon, il ne va pas perdre
une heure à tout lui expliquer.

Kintô peut encore dormir trois heures avant le lever
du jour et l'arrivée du groupe attendu ce matin : le club
norvégien des amateurs de jardins historiques.

5

Comment se meublent les ministres

*Paris, le jour du dîner du musée Marmottan-Monet, le lundi
20 juin 2011, au Mobilier national, avenue des Gobelins*

Quand le ministre des Affaires étrangères est arrivé,
silhouette mince et sportive, avec son éternelle pochette
blanche et son costume anglais, au petit matin, dans
la cour déserte du Mobilier national, tout était prêt.
Une *Marseillaise* virtuelle flottait dans l'atmosphère.
Les bâtiments construits par Auguste Perret, en béton,
avaient sous le soleil toute la beauté du centre « historique » du Havre en plein été ; les couleurs de la France
battaient au-dessus du fronton.

Le ministre a la barre au front : les premiers articles
de presse sont sortis – « Le ministre des affaires qui
lui sont étrangères », « Le maillon faible du nouveau
gouvernement », « Comment l'homme qui confondait
la Slovénie et la Syldavie est redevenu ministre » – et

la vidéo de ce désastreux discours d'il y a cinq ans face
à des collégiens auvergnats et qui se voulait en anglais
a été rediffusée sur Canal Plus.

Il est contrarié. Il veut se changer les idées. Voir des
commodes et des bonheurs-du-jour. Sur ses talons,
il y a son éternel officier de sécurité, le cher Robert,
du Service de protection des hautes personnalités, qui
s'occupait déjà de lui dans son précédent poste. Ça lui
avait fait plaisir, à la fin de sa traversée du désert, de
retrouver Robert, qui, avec ses cent kilos de muscle et
d'os, le rassure contre la difficulté de la vie.

Rares sont les ministres qui viennent eux-mêmes,
certains machos envoient leurs femmes, et certaines
femmes de tête leurs maris, heureux et un brin gênés
de se trouver ce petit rôle au ministère. Ceux qui n'ont
«pas de temps à perdre avec la déco» dépêchent leur
chef de cabinet, qui en général a un goût de sous-
préfecture des années 1950. On leur trouve vite un
bureau style Empire fait en 1920 – on leur explique
qu'il a été celui de Léon Blum ou d'Henri Queuille –,
on ajoute huit fauteuils Louis-Philippe, ils repartent
avec une satisfaction de notaire qui a bien marié sa fille.

Le père de Wandrille, lui, aime les fanfreluches,
comme il dit, et surtout il a envie de voir où travaille
Pénélope, l'éternelle petite fiancée de son fils. Ces
deux-là veulent enfin se marier, depuis le temps, ils
auraient pu y penser avant, ça va encore lui compli-
quer la vie. La presse est à ses trousses. Alors, un
mariage, des photos dans une église, les questions sur
les vins choisis, le cauchemar commence… Il les oriente
vers la formule suivante : un mariage au consulat de

France à New York, deux témoins choisis dans la rue, et n'en parlons plus – c'est romantique, discret –, et quand on partage déjà tout depuis des années, c'est moins ridicule et ça n'embête personne.

L'administrateur du Mobilier national, qui dirige cet ensemble de bâtiments qui sont à la fois un musée, une manufacture et des ateliers de restauration, est un énarque passionné d'histoire, un peu tremblant devant les ministres. Il a pour adjoint un conservateur général à deux doigts de la retraite, un des vieux sages du milieu. Pénélope l'aime. Lui n'a rien à craindre de personne. Il a écrit le livre de référence sur la collection de tapisseries de Louis XIV, il ne faut pas lui en conter. Il bafouille, c'est sa technique :

« Nous avons pris la liberté, monsieur le ministre, de vous préparer, pour ainsi dire, et toute la maison s'est dépensée sans compter, une petite sélection...

— C'est ce que je craignais. La dernière fois, quand j'avais le Budget, je me suis fait avoir comme ça : vous m'aviez refilé de la production contemporaine pas du tout confortable et un guéridon Empire branlant qu'il avait fallu faire restaurer aux frais de mon ministère. Je veux voir votre entrepôt. Vous savez, le grand hangar où personne ne va jamais sauf vous... »

Le conservateur général jette un œil noir à Pénélope, qui, sous prétexte d'apporter du courrier, vient d'entrer dans le bureau. C'est évidemment cette petite effrontée qui a tout raconté, elle vient à peine d'arriver, tout le monde sait qu'elle va épouser le fils du ministre, pour qui se prend-elle ? Elle vient de Versailles, c'est tout dire, on a dû l'habituer au grand genre. Aucun ministre n'entre jamais dans l'entrepôt. Il va falloir faire une exception pour ce nullard, et que ça ne se sache pas.

Pour arriver jusqu'à l'entrepôt des meubles, il faut franchir bien des portes. Le lieu est sous haute sécurité : c'est le garde-meuble de la France. Les fauteuils de Marie-Antoinette, les tables de Louis-Philippe, les canapés du président Coty, les créations pompidoliennes y sommeillent dans le secret. Une collection de chaises est accrochée tout autour de l'immense pièce, sur le béton des murs, une vraie installation contemporaine. Des étagères métalliques numérotées supportent des commodes, des bureaux, des consoles, certaines pièces sont sorties et attendent, sur des chariots, de partir vers un nouveau destin.

Pour les salons du Quai d'Orsay, le ministre veut trouver dans ce stock des meubles des années 1930, il a repéré une suite de petits fauteuils avec des tapisseries montrant les monuments de Paris.

« Je rêve aussi d'un beau bureau à cylindre du XVIIIe siècle. Je veux changer le bureau du ministre des Affaires étrangères...

— Le bureau de Vergennes !

— On l'appelle comme ça mais vous savez mieux que moi qu'il s'agit d'une copie, le bureau de Vergennes, si tant est que la tradition soit vraie, est au Louvre. Je ne veux pas travailler sur un faux, c'est une question de symbole. C'est important. Un beau bureau à cylindre authentique, aucun ministre n'a plus ça ! Le bureau de Louis XV à Versailles est un bureau à cylindre. Celui-ci, derrière les chaises, a l'air superbe.

— Extrêmement fragile, nous le protégeons toujours sous ce plastique, c'est un bureau de Nicolas Petit, il est signé sur la traverse basse, du côté gauche du meuble et date de la fin du règne de Louis XV. Il n'est pas aussi beau que celui de Versailles, mais il a été fabriqué pour Fontainebleau, il était question de le réinstaller dans un salon du château, mais nous ne le faisons pas...

— Pour faire suer l'administrateur de Fontainebleau, votre collègue, je vois... Je vous couvre. Prêtez-moi cette grosse cylindrée, ça vous fera un prétexte pour ne pas la lui donner. Je m'engage à ne pas y poser d'ordinateur, à en éloigner toute forme de cendrier, à ne pas y poser de sandwich, ni thé, ni café, ni bière, à ne m'en servir que de temps en temps... Il est admirable, ces marqueteries de couleur, c'est tellement beau. Il n'en existe qu'un exemplaire ?

— Il y en a un autre, en réalité, il se trouve dans un endroit très inattendu. Il diffère du nôtre, enfin de celui-ci, du vôtre, monsieur le ministre, par les marqueteries qui représentent des attributs musicaux, des tambourins et des guirlandes, alors qu'ici c'est plus martial, mais toute la menuiserie est identique. L'autre, son frère, se trouve dans la chambre de Claude Monet à Giverny.

— Mais je croyais qu'il était très pauvre, et n'aimait que les guinguettes et les torchons à carreaux... »

Pénélope, surprise de voir Monet entrer en scène, voulant montrer à son directeur qu'elle est cultivée, ose enfin prendre la parole. Elle est incollable – une fois de plus :

« Personne n'a jamais compris comment ce meuble de grand prix lui était arrivé. Peut-être appartenait-il à Ernest Hoschedé, le premier mari d'Alice Monet, seconde femme du peintre. Monet, à la fin de sa vie, vivait dans une certaine opulence et il aimait les jolies choses.

— Intéressant ça ! On sait comment il avait fait fortune ? Quand on pense à la misère de Van Gogh...

— Il avait croisé la route de Paul Durand-Ruel, un marchand d'art de génie... Monet s'était mis à la vie bourgeoise... Ce beau bureau, il l'avait installé en face de son lit, à côté d'une superbe commode XVIIIe. Ça jette une ombre sur le mythe des impressionnistes, mais c'est comme ça...

— Bon, je vois, mademoiselle, interrompt le directeur des collections oubliant de bafouiller, que comme tous les jeunes conservateurs, vous connaissez bien la peinture. Ici, vous apprendrez vite l'histoire des arts décoratifs, ces arts, monsieur le ministre, qu'on a longtemps appelés les arts mineurs et que nous défendons, parce que c'est l'excellence française. »

Pénélope comprend qu'elle aurait mieux fait de se taire – et se tait.

Comme tous les bureaux à cylindre, fait remarquer le ministre, il doit avoir un tiroir secret. Il se tourne alors vers Robert :

« Vous ne connaissez pas mon officier de sécurité. Il adore les vieux meubles. Robert, le moment est venu de nous montrer que vous n'êtes pas qu'un malabar. Vous avez quatre minutes pour trouver le tiroir secret de ce bureau. Je vous laisse agir. »

Devant Pénélope et le conservateur général un peu surpris, Robert serre le poing. Il le lève au-dessus de sa tête. Il va abattre son bras qui fait craquer les coutures de son costume noir sur ce fragile chef-d'œuvre en marqueterie de bois précieux, qui sera pulvérisé à quelques mètres de l'atelier de restauration. Avant que le vieux conservateur n'ait eu le temps de penser : « Vous ne pouvez pas faire ça » et de se dire : « J'en étais sûr, je n'aurais jamais dû les laisser entrer dans l'entrepôt », Robert baisse le bras, comme un bélier défonçant une porte de château fort.

Il s'arrête à deux millimètres du bois verni et sourit : « Monsieur le ministre, il y a souvent ce genre de secrets chez Weisweiler, ou chez des maîtres moins connus comme ce Nicolas Petit. En général, il suffit de sortir l'encrier qui est à l'intérieur, il dissimule le bouton qui fait glisser le sous-main, et libère la cachette. C'est un secret de polichinelle. Mon père était anti- quaire au Palais-Royal, il m'a montré ça quand j'étais tout petit. Puis-je me permettre, monsieur l'admini- strateur général ? »

Et devant l'assistance encore tremblante, Robert, gendarme du Service de protection des hautes person- nalités, fait délicatement tourner la clef dans la serrure, regarde le cylindre de bois rentrer dans l'intérieur du bureau. Il fait jouer, sur la gauche, le petit tiroir qui contenait les encriers, plonge son index dans l'interstice, et déclenche sans avoir l'air plus surpris que cela le mouvement qui commande l'ouverture du panneau central, celui sur lequel se trouve le carré de cuir rouge et où on devait poser les lettres et les papiers. Le panneau glisse. Un compartiment secret se révèle.

Le ministre se penche :

« C'est vide ! Je vois que vos artisans sont passés avant moi. Vous avez entendu ce petit clic ? Moi ça m'émeut, un pur bruit du XVIII⁰ siècle parvenu intact jusqu'à nous. Il me plaît beaucoup ce bureau. Vous pouvez le faire livrer Quai d'Orsay pour la semaine prochaine ? Je ferai la démonstration du mécanisme au président du Gabon. »

6

La robe de la princesse Charlène

Monaco, mercredi 22 juin 2011

« Tou-ou-te la ville est pa-voi-sée » : Wandrille fredonne pour rire cette célèbre mélodie d'Offenbach et ne pense déjà plus à cet horrible crime dans son Cercle bien-aimé – il ne la connaissait pas, cette Américaine, il a laissé un message chaleureux sur le répondeur de Dimitri, le coach qui pratique le second degré.

Il vient d'écrire dans l'éditorial qu'il prépare : Monaco, ce n'est pas de l'opérette. Mais tous les journalistes qui écrivent ça, et qui chérissent cette inusable formule, savent que le charme du mythe monégasque vient de ce qu'il sonne encore comme un air de *La Grande-Duchesse de Gérolstein* au milieu des buildings, entre la Salle Garnier et l'hôtel Hermitage.

Impossible d'entrer dans le palais. La sécurité est maximale. Les carabiniers en uniforme blanc – garde personnelle du souverain – sont partout, et les troupes d'Albert II ont reçu les renforts de la gendarmerie française.

Les couleurs des Grimaldi, rouge et blanc, flottent en haut des mâts, devant la mer, dans un vaste ciel de grand luxe. Wandrille a envie d'écrire sur Monaco. Ce prince Albert lui plaît bien, il parle d'écologie, il veut se consacrer à la Méditerranée devenue si sale et aux pôles, l'atout inexploité de la planète. Il a choisi d'épouser une grande jeune femme élégante, une nageuse olympique avec un sourire désarmant de naturel, ça rend fou le monde entier, et ça donne du travail à Monaco. Des milliers d'artisans transforment la cour du palais en une cathédrale à ciel ouvert, on assemble des poutrelles pour la métamorphoser en une grande salle blanche prolongeant la chapelle palatine, tout cela, on le découvrira la semaine prochaine, il y aura des fleurs rouges et blanches, des brassées de protéas d'Afrique du Sud, ça sera superbe. La police est omniprésente, il ne peut rien arriver.

Pour le mariage princier, Wandrille a décidé de rester sur place toute la semaine, à enquêter, fureter, recueillir des détails – il se repose d'un reportage à Sumatra à la recherche de l'Arum titan, la plus grande fleur du monde, et d'un autre en Ouzbékistan, ce sont ses vacances.

Il est depuis un an rédacteur en chef d'un des plus vieux magazines français, *Jardins Jardins*, il tient beaucoup au double nom, et il a décidé d'en faire un titre grand public, parlant des jardins du monde entier, mais aussi des événements qui se passent dans les hauts lieux du jardinage mondial. Finies les petites piges dans les journaux de second rayon. On lui a proposé de métamorphoser ce titre, il a dit oui tout de suite. Comme son père est de nouveau ministre, il a pris un pseudonyme, Guillaume Bayeu, sans x à la fin pour faire catalan, mais en souvenir de la tapisserie et du premier poste de conservatrice de sa Pénélope.

Le mariage du prince de Monaco est annoncé et attendu depuis sa naissance. Le président de la République a décidé d'y aller lui-même et sans ministres, c'est dommage, Wandrille y serait venu avec son cher père et aurait eu accès à toutes les réceptions. Du coup il a un badge de presse autour du cou, un panama sur la tête et le stylo entre les dents.

Il va tenter de montrer au monde les jardins du palais princier, et ce que la famille Grimaldi réussit en matière d'écologie dans la ferme de Roc Agel, leur ranch de l'arrière-pays. Il sait tout de la dynastie, des traditions, du protocole… Le scoop impossible dont il rêve : réussir à entrer au palais et voir la robe de Charlène. Le monde entier se ruerait sur *Jardins Jardins*. Il doit bien y avoir quelques fleurs brodées sur cette robe, ou un bouquet de mariée, qui feraient la couverture du siècle.

À Monaco tous les palaces sont pleins. Sa chambre à Villefranche est charmante, son but est d'y faire venir Pénélope. Au moins il échappe pour quelques jours encore aux leçons de piano de sa voisine. La *Lettre à Élise* quinze fois de suite, mieux vaut être sourd que d'entendre ça. Wandrille n'ose rien dire. Sa voisine est charmante, depuis des années elle avait un piano et ne s'en servait pas, ce drame devait arriver un jour.

Cela fait des années qu'ils se connaissent, Pénélope et lui, et ils ont envie d'enfants. Pénélope a été longtemps rebelle au mariage, elle s'est assagie. Son nouveau poste est à Paris. Elle a un peu déambulé à gauche et à droite, depuis son affectation à Versailles, mais le Mobilier national, où elle est désormais, c'est passionnant, c'est bien situé, et les tissus anciens sont sa spécialité. Les deux sœurs de Wandrille ont commencé à surveiller «les bagues de maman». Pénélope a senti le risque et dit tout de suite que des bagues de fiançailles, depuis qu'elle avait quitté son poste à Versailles, cela ne lui serait pas très utile. Comme les mariages durent trois ans en moyenne, on en trouve tant qu'on veut sur eBay, il faudra qu'il aille y faire un tour et qu'il lui en choisisse une pas trop tarte. Il imagine un gros cabochon de saphir qui ne brille pas, par exemple, si on peut dénicher ça.

Au Mobilier national, Wandrille a compris qu'on entreposait les meubles de la République, ses tapis et une prodigieuse collection de tapisseries. La Galerie des Gobelins organise des expositions superbes qui sont les plus agréables de Paris, parce que personne ne les visite. Les gens n'aiment que la peinture, ils ne connaissent rien au noble art de la tapisserie. Wandrille, lui, quand Pénélope était à Bayeux, cette jolie ville, s'était mis tout seul à la broderie, sans avoir suivi de cours, et avec de bons résultats. Les travaux d'aiguille, il connaît. Un don naturel. Son portable sonne, l'hymne monégasque piqué sur Internet.

«Je te dérange?

— Jamais, douce reine d'Ithaque! Pas de nouvelles depuis lundi! Je suis en terrasse au Café de Paris. Je guette Charlène. Je pensais à toi.

— Que des bonnes nouvelles! Tu crois que les Monégasques vont s'habituer à ce prénom?

— La presse l'a déjà adopté. Tu verras, Péné, dans vingt ans, il y aura le boulevard Princesse-Charlène, l'hôpital Princesse-Charlène, la fondation Princesse-Charlène pour l'art conceptuel. Ils ont bien adopté d'autres prénoms bizarres : Rainier, Grace, Albert, Stéphanie, Florestan, Honoré, Ambroise, Claudine...

— Claudine ?

— Oui. Claudine de Monaco, XVᵉ siècle. Je t'apprendrai des choses, moi, j'ai fait des recherches. Ta soirée marmottienne ? Je commençais à m'inquiéter.

— Je me suis fait piéger. Le directeur, Antonin Dechaume, le sculpteur, celui qui a fait la statue de Lindbergh au parc Montsouris, tu sais, il m'a à moitié draguée, j'ai dû rester pour le dîner officiel...

— Je vais le buter. Tu sais qu'il sculptait des nus torrides dans les années 1970 ?

— Il m'amuse, tu l'aimeras. J'étais simplement pas du tout bien habillée...

— Moi, je t'aime en jupe École du Louvre. Tu n'avais quand même pas mis la mauve qui peluche ?

— Le pire, c'est ce qui s'est passé pendant ce dîner, une chose stupéfiante... J'hésitais à t'appeler. Tu vas me trouver bête. Je me trompe peut-être...

— On a volé *Impression, soleil levant* ?

— Ça serait la routine, c'est déjà arrivé... On l'avait retrouvé au Japon, l'histoire n'a jamais été bien éclaircie. »

Pénélope est heureuse de raconter à Wandrille comment ce dîner a dérapé. Il aime que Pénélope soit mêlée à des événements inattendus. Ça lui arrive souvent, sa vie de conservatrice s'accélère tout à coup, et la voilà partie ailleurs. Elle a peur, cette fois, qu'il se moque d'elle.

La lumière s'est éteinte. Comme si la machine à laver de Caroline Bonaparte avait tout fait disjoncter. Sauf qu'il s'agit d'un des plus célèbres musées de Paris. On a entendu la voix du présentateur de « Mystères d'Histoire », de France Inter, qui a dit : « Chic, un anniversaire. » Quelqu'un d'autre, une voix de femme : « Attention aux colliers de perles. » Pendant sept à huit minutes, c'est très long, on n'a rien vu. Certains ont allumé leurs téléphones portables, comme des lucioles dans les fleurs de Monet – et la conversation a continué, à voix basse, sur un rythme lent, une mare aux grenouilles... On attendait l'arrivée des braqueurs, les femmes retournaient leurs bagues vers l'intérieur, personne n'est venu...

« Tu sais que ce musée est à côté du bois de Boulogne. Je me suis tout de suite dit que des cambrioleurs allaient arriver par la fenêtre... Tu vois comment ça se présente, ce petit musée qui a l'air d'être une maquette en carton ?

— Ne raconte pas tout à la fois. Commence par le début. Souviens-toi qu'il est possible que les lecteurs de *Jardins Jardins* n'y connaissent rien... »

Wandrille a des réflexes de journaliste. Il pose des questions. Il veut savoir ce que c'est que ce musée qu'il n'a jamais vu. À vrai dire à quoi bon y aller : *Impression, soleil levant*, tout le monde connaît, que voit-on d'autre dans cet endroit de rêve ?

Pénélope explique. Le collectionneur Paul Marmottan, passionné par l'Empire, avait racheté ce pavillon de chasse de la famille Kellermann, l'avait agrandi, y avait accumulé des portraits de Boilly, des bustes des grands hommes du temps de Napoléon, et ces meubles, somptueusement démodés à son époque, ornés de sphinx, de serpents, de casques, de glaives et de frises grecques.

Ce sanctuaire du style Empire était échu à l'Académie des beaux-arts, et placé depuis sous la direction d'un académicien volontaire pour devenir directeur de musée, élu par ses pairs.

« Et les impressionnistes, alors ? Quand arrivent-ils ? Et le cambriolage auquel tu as assisté ?

— Attends ! Qui te parle de cambriolage ? Je t'explique les richesses de ce musée. Après la donation Paul Marmottan, la fille du docteur de Bellio, le médecin de Manet, de Pissarro, de Sisley, de Monet et de quelques autres, a légué une collection de peintures plus modernes, avec des bords de mer, des fleurs des champs et des ombrelles, et on a accroché dans les salons de style Empire des tableaux impressionnistes, dont *Impression, soleil levant.*

— J'imagine qu'il avait fallu changer les rideaux, installer le gaz et l'électricité.

— Tu vois que tu connais... C'est alors que l'incroyable donation a eu lieu : Michel Monet, fils du peintre, mort en 1966, offre la vieille maison de famille de Giverny et ce qui restait de l'atelier de son père à l'Académie des beaux-arts. »

Il avait fallu transformer la cave à vin de Paul Marmottan en chambre forte, avec une porte digne d'un sous-marin. Pénélope s'interroge encore : comment le moins académique de tous les artistes se retrouvait-il sous la protection de ces académiciens en uniforme brodé avec leur bicorne empanaché, semblables à

ceux qu'en son temps il avait tellement détestés ?
Ceux qui étaient les successeurs de ces «chers maîtres»
académiques, qui constituaient le jury du Salon, la tradi-
tionnelle exposition où lui-même et les impressionnistes
étaient si souvent refusés. Michel Monet avait joué un
bon tour à l'ombre paternelle. Mais au fond Claude
Monet, à la fin de sa vie, était une sorte de révolté respectable, capable de blagues potaches et de pur génie, que
la bande sympathique des académiciens des Beaux-Arts
d'aujourd'hui aurait accueilli avec transport.

Les chefs-d'œuvre venus de Giverny avaient quitté
la campagne, l'étang, l'ombre des peupliers et s'étaient
retrouvés accrochés dans le décor suranné de Paul
Marmottan, avec les tableaux du docteur de Bellio,
qu'ils complétaient très bien, mais aussi avec les bustes
représentant les beautés de l'Empire qui n'avaient pas
bougé. Étaient arrivés ensuite les mythiques tableaux
de la collection Rouart, avec des œuvres de Berthe
Morisot, Degas, Manet... Henri Rouart, ingénieur,
peintre lui-même, était un ami de Degas et avait eu en
son temps un goût audacieux et percutant.

Ce musée un peu à part était de plus en plus riche
– très difficile à organiser tant y régnait la confusion
des époques et des styles. Pénélope, du temps où
elle était à l'École du Louvre, avait fait une fiche :
elle était deux fois plus longue que celles qui concernaient les autres musées de Paris. Cette bonbonnière
incompréhensible, à la fois Empire et impressionniste, académique en diable et anti-académique,
porte un nom impossible qui résume tout et ne dit
rien : «Marmottan-Monet», autant dire carpe-lapin,

La Motte-Piquet-Grenelle, Barbès-Rochechouart, nitro-glycérine.

« Ce qui n'est pas clair, demande encore Wandrille, c'est le rapport entre ce qu'on visite dans ce musée et ce qui est à Giverny. Par exemple, les nymphéas, on les voit où ?

— Les fleurs, à Giverny, monsieur le nouveau spécialiste de la haute jardinerie.

— Tu me prends pour un crétin, je t'adore. Mais les peintures ? Et on a volé quoi dans ton dîner panne de courant ? Qu'est-ce que tu hésitais à me raconter ? »

Pénélope poursuit. Wandrille la trouve irrésistible quand elle prend un ton un peu docte, lunettes d'écaille, petit collier de verre de Murano. Pour les touristes, bien voir l'œuvre de Monet est un jeu de piste : il faut aller au musée Marmottan, pour le premier chef-d'œuvre mythique, *Impression*, et aussi les délirants tableaux de la dernière période, c'est là qu'il y en a le plus, c'est normal, Monet les avait gardés – longtemps ces toiles furent mal aimées et peu vendables. Puis il faut se rendre au musée d'Orsay, pour les coquelicots et les plus belles cathédrales, avant d'aller se recueillir devant le cycle des *Nymphéas*, l'œuvre ultime, de l'autre côté de la Seine, à l'Orangerie des Tuileries. Enfin il est indispensable de passer au moins une journée à Giverny. À Giverny, la plupart des touristes croient que rien n'a changé, que Monet peut revenir d'un instant à l'autre, retrouver son fourneau, ses assiettes, se préparer un café... Il y a dix articles à faire sur Monet dans le magazine de Wandrille.

« C'est ça, continue à me prendre pour un nul. Donc, ce fameux soir, au milieu du dîner de vernissage...

— C'était absurde tu comprends, il y avait pour des millions en tableaux sur tous les murs. Personne ne s'est levé. On a entendu quelqu'un taper sur son verre avec un couteau, on a fait silence. C'était Antonin Dechaume. Il a parlé en riant du charme de ces vieilles demeures, et a demandé cinq minutes, le temps qu'il s'occupe de rétablir le courant. On ne le savait pas si bricoleur. Je me suis dit que peut-être on avait installé des fourneaux dans les parages pour ce dîner hors du commun. Tu imagines, on a servi des plats avec du beurre, du sel, du vinaigre, à deux pas des toiles les plus célèbres, personne ne fait ça ! Et l'installation électrique, le gaz, les mixers, les sorbetières ! Je n'ai pas du tout eu peur...

— C'est alors qu'on t'a mis un couteau sous la gorge ?

— J'aurais adoré. J'aurais riposté, mon fameux coup d'escarpin au centre du tibia, tu connais...

— Alors qu'est-il arrivé ?

— La lumière est revenue.

— C'est tout ? Tu me vois rassuré pour toi. Tu sais, les traiteurs sont des magiciens de nos jours : ils peuvent faire réchauffer, on ne tartine pas les petits-fours sur les murs, et les invités se tiennent bien. Si on t'écoutait, il n'y aurait plus de cocktails dans aucun ministère...

— Tu n'aimes que les cocktails et les réceptions. Si j'avais été conservatrice là, je me serais opposée à ce dîner au nom des principes sacrés de la conservation préventive, j'ai appris ça à l'École du patrimoine.

— Car il manquait bien sûr une des toiles, un très grand format impossible à déménager qui avait disparu en trente secondes...

— Je me suis dit qu'un fétichiste allait voler les lunettes de Claude Monet, dans leur vitrine, au centre de l'exposition. Elles étaient encore là. Le directeur, pardon, le président d'Orsay avait un air de triomphe paisible, style chez-nous-ça-n'arrive-pas. Je me suis tournée vers ma voisine. Elle avait disparu. J'ai cru qu'elle s'était levée, qu'elle allait revenir. À la table d'à côté, il manquait aussi une invitée, l'Américaine en Chanel qui avait parlé avec elle. Eh bien, elles ne sont revenues ni l'une ni l'autre... Je n'ai rien osé dire. J'ai discuté d'art avec Vernochet qui était mon voisin, il va venir à notre mariage, il a promis. J'ai attendu, j'ai demandé, personne n'avait l'air de s'inquiéter. Dechaume s'affairait, le départ des uns et des autres s'est fait en désordre, il était tard, tout le monde voulait rentrer. J'ai hésité à t'appeler, c'est stupide : ces deux femmes ont été enlevées au milieu du Tout-Paris, sous mes yeux.

— Elles en avaient peut-être assez de ce dîner ? Elles sont allées se faire des bisous dans le jardin, tu t'inquiètes pour pas grand-chose... Elle ressemblait à quoi ta voisine ?

— C'est le plus étrange. Ma voisine s'appelait sœur Marie-Jo, sans nom de famille sur le petit carton à côté des verres, une religieuse, la cinquantaine, très assurée, parlant beaucoup, en civil avec une croix en bois autour du cou... Elle vient d'un couvent à Paris, Picpus, je crois que c'est le cloître où Jean Valjean cache la malheureuse Cosette.

— Dans *Le Père Goriot*, je vois très bien.

— Et l'autre, l'Américaine, je suis allée voir aussi le petit carton qui restait : Carolyne Square.

— Pénélope ! Tu n'as pas lu *Le Parisien* ? Carolyne Square a été assassinée, et tu ne devines pas où : au Cercle !

— Quoi ? Quand ? J'ai cherché sur Internet, grosse fortune, fabrique de meubles en bois écologiques dans le Connecticut, même tranche d'âge, très sophistiquée, pas du tout le genre de ma bonne sœur. »

Wandrille raconte ce qu'il vient de lire. Comment l'Américaine disparue à Marmottan a été égorgée. Les questions se fracassent :

« Comment se connaissaient-elles ? J'ai cru comprendre qu'elles venaient de se rencontrer mais qu'elles avaient entendu parler l'une de l'autre... Que faisaient-elles à ce dîner Claude Monet ? Pourquoi se sont-elles volatilisées ? Mardi, j'ai eu un travail fou, j'aurais dû réagir plus vite...

— Tu imagines, Péné, qu'elles aient pu être enlevées ? On les aurait réquisitionnées pour faire la vaisselle ? Une dispute à propos d'un torchon, l'une massacre l'autre...

— Elles ont été enlevées, Wandrille. Toutes les deux. J'en suis sûre. Je n'ai pas osé donner l'alerte.

— Je t'arrête et t'explique. L'une des deux n'a pas été enlevée, puisqu'elle était le lendemain en train de bronzer, la malheureuse, avant d'être achevée au coupe-chou... Ensuite, au milieu d'un dîner, avec des convives assis serrés à de petites tables, comment veux-tu que des ravisseurs aient circulé ? Qu'elles n'aient pas crié ?

Elles avaient décidé de se faire la malle, voilà tout. Elles avaient dû combiner ça au moment de l'apéritif, sous ton nez.

— Bonne déduction, j'admets.

— Il te faut donc savoir ce qui les liait, quel point commun avaient ces deux femmes, et pourquoi elles ont décidé de profiter d'un court-circuit pour débarrasser le plancher. Où sont-elles allées ? Si au moins un tableau avait disparu...

— Surtout, Wandrille, pourquoi ont-elles profité du moment où tout a disjoncté ?

— À moins qu'elles n'aient organisé cette coupure de courant...

— Une sorte d'évasion ? Mais qui peut bien retenir deux femmes prisonnières au musée Marmottan ? Il y avait des actrices, des sommités, des modasses... Elles étaient libres de s'en aller...

— Il va falloir que tu t'informes... Je te sentais désœuvrée ces derniers mois... Là, tu as un cadavre. »

La voix de Wandrille s'est étouffée. Pénélope, le regard dans le vague, a cru qu'il avait raccroché.

Il ne faut pas qu'elle oublie, avec toutes ces histoires tragiques, de raconter à Wandrille la visite de son ministre de père, il a mis une belle pagaille dans l'entrepôt, le saint des saints... Toutes les équipes ne parlent que de cette affaire. Il faut aussi qu'elle aille faire quelques courses. Elle n'a plus rien à se mettre. Les sœurs de Wandrille ont consenti à lui donner l'adresse de quelques dépôts-ventes élégants où elles vont échanger des sacs à main et des accessoires. Il faut qu'elle ait l'air plus parisienne. On lui a parlé aussi d'une adresse du XVIᵉ arrondissement, qu'on ne lui a pas encore donnée, où il y a un étage entier de robes de mariée en attente de recyclage, issues de dizaines de ruptures. Il va falloir y penser. Ne pas être ridicule, plaire à la famille de Wandrille, ne pas trop surprendre sa famille à elle, ceux qui vont venir de Villefranche-de-Rouergue. Quelle corvée, ce mariage en vue, comme si elle n'avait que ça à faire…

Wandrille reprend, en bafouillant, après au moins une minute de silence :

« Quand tu parles d'une sorte de bonne sœur, tu veux dire… en anorak bleu et jupe marron ? Qui lit un livre sur Claude Monet ?

— Pourquoi dis-tu ça ?

— Parce que j'ai cette denrée, fort rare à Monte-Carlo, tu l'admettras, juste sous les yeux…

— Où ?

— Au Café de Paris, devant le casino. Elle boit du whisky. »

7

Un enlèvement en terrasse
au Café de Paris

Monaco, mercredi 22 juin 2011

Wandrille a raccroché.

Pénélope est sur les nerfs. Il va forcément rappeler.

À la terrasse s'alignent les vieilles habituées de Monte-Carlo, dont les croupiers connaissent les noms, quelques vedettes du sport ou de la téléréalité, qui sirotent des cocktails à toute heure, espérant l'arrivée des paparazzi, des petits chiens blancs en laisse.

Wandrille observe et écoute. Un homme en blouson de daim vient d'entrer, un de ces vieux beaux qui rôdent autour des Bentley devant les marches du casino. Il n'a pas l'air de chercher de conquête facile, même si on dit que la zone peut être giboyeuse pour ce genre de dragueurs fortunés. Le blouson avec le petit foulard et les mocassins à bride dorée, ça ne trompe pas, il ne lui manque que les lunettes de soleil du play-boy sur le retour. Sa Porsche doit être garée dans le secteur.

Ce qui est surprenant c'est l'enveloppe de kraft qu'il tient et l'aisance avec laquelle il s'installe à la table – située au fond, dans une zone de la terrasse moins exposée – où cette femme en pull gris avec une croix de bois autour du cou s'est installée : cheveux courts, lunettes, mine sévère de religieuse mécontente, sourire, pas le genre de femme qu'on aborde de cette manière. Ils ne semblent pas se connaître. Il dit son nom, que Wandrille n'entend pas, lui serre la main, et la discussion s'engage à voix basse.

De l'enveloppe, il sort une grande photo. Il la tient entre ses doigts, pour qu'elle la regarde de face. Wandrille peut voir, de loin. C'est une photo en noir et blanc, au centre de laquelle on distingue un carré bordé de blanc, avec des découpes sur les bords comme un petit gâteau : une copie scannée et agrandie d'une photo ancienne. Wandrille n'ose pas se pencher. Il y a un rectangle clair, au centre d'une grande pièce sombre, pas le temps d'en voir plus. L'homme a posé l'image sur la table. La religieuse enlève ses lunettes et approche ses yeux de la feuille.

Des bribes de conversation lui parviennent : « photo prise dans l'atelier », « authentique », et ces mots martelés, « il faudrait voir l'original », d'une voix féminine un peu chantante. Puis très distinctement, la voix de l'homme : « Il va falloir me suivre. »

Wandrille voit bien que la bonne sœur est rétive, elle cherche à gagner du temps, tergiverse. L'homme répète sa phrase, un ton plus bas, un ordre prononcé avec douceur. La violence se lit dans les regards. Cela ressemble à une attaque silencieuse et presque feutrée, dans un rayon de soleil à travers la verrière.

Elle ne veut pas se lever. L'homme, debout, lui a pris le bras. Elle lance des regards de côté.

Wandrille hésite à intervenir et se ravise : « Je me fais un film. Quand on a la force de commander un whisky en terrasse à Monte-Carlo avec une croix de religieuse autour du cou, on doit avoir le courage de hurler à l'aide quand on est en danger. Elle n'a pas non plus tout à fait le profil des victimes de la drogue du violeur... »

Elle a pris entre ses doigts le ticket de l'addition. Il a posé un billet sous le cendrier, mais elle regarde le papier comme si elle voulait écrire quelque chose. L'homme a déjà pris le livre qu'elle avait posé sur la table, il ramasse le petit cabas qu'elle avait posé devant sa chaise, il la force à se lever. Le papier vole jusqu'à terre. Nouveau regard effrayé de la femme, elle se lève, hausse un peu les épaules. La mine résignée, elle accepte de le suivre. Elle ne parle pas et lui non plus – comme si la conversation, entre eux, n'avait plus lieu d'être.

C'est ainsi qu'on enlève quelqu'un dans ce lieu si fréquenté, une des places au monde où il y a le plus de caméras de surveillance : avec brutalité, mais sans esclandre.

L'homme a fait ensuite un geste, menton levé, pour donner l'ordre à la pauvre femme de lui obéir, lui faire comprendre qu'elle n'a pas le choix. Il a lâché son bras, elle avance devant lui. Une seconde, elle se retourne, lance un regard vers le coin où se tient Wandrille. Les serveurs sont loin. Elle aurait pu crier à ce moment-là. Elle continue de se taire. Elle ne se met pas non plus à courir, il l'aurait rattrapée tout de suite. Dehors, il l'a empoignée à nouveau, il l'entraîne.

Wandrille, trois secondes plus tard, attrape sa veste, se lève pour les suivre, l'air dégagé. Il les voit, juste devant lui, gravir les marches qui conduisent au casino et à la Salle Garnier – cela ressemble un peu à l'architecture du Cercle, se dit-il, en regardant les dorures pour ne pas se faire remarquer. Il ne va pas les lâcher, la filature, c'est quand même autre chose que les reportages sur les roses trémières à l'île d'Aix.

8

Le mariage de Pénélope

Monaco, jeudi 23 juin 2011

« On va radiner sur tout.

— Vendons ta voiture.

— Larguer *Vorace*, jamais, je préfère divorcer. Papa est ministre pour la seconde et j'espère dernière fois, au Budget on l'appelait "le père la rigueur", tout le monde sait qu'il a des goûts de luxe, avec ses montres Breguet qui font réveil et autres joujoux qu'il ferait mieux de me donner. On va avoir les journalistes aux trousses. Consigne : dépenser le moins possible, inviter tous les pauvres qu'on connaît, et le faire savoir.

— Des pauvres, ça tombe bien, j'ai toute ma famille ! On fait ça à Villefranche-de-Rouergue, chez papa et maman ?

— Oh non, quand même pas.

— Mais tu te souviens de la collégiale de Villefranche-de-Rouergue ? Si elle était en Toscane, on viendrait du bout du monde pour la voir !

— Tu le dis à chaque fois qu'on en parle... J'aimerais mieux Saint-Wandrille, l'abbaye a été sauvée par Georgette Leblanc, la sœur de Maurice, le père d'Arsène Lupin, c'est tout pour nous...

— Le gentleman-cambrioleur, tu trouves que c'est un beau symbole, ça, pour ton père ? »

Pénélope est arrivée par le premier avion du matin. Wandrille est allé la chercher à l'aéroport de Nice. Elle a fait des efforts : une nouvelle robe bleu pâle à petits pois blancs, taille bien prise, décolleté parfait, un collier de grosses perles de corail acheté en Italie, cheveux lâchés sur les épaules, lunettes de soleil. Wandrille s'est jeté dans ses bras, il l'a embrassée avant de dire, sourcil froncé : « Tu as changé de shampoing ? » Le mariage, ça va être ça. Ils ont éclaté de rire. La vie est belle à Monaco.

Les fiancés, dans la petite MG bleu marine que Wandrille aime plus que tout et qui met son compte à découvert un mois sur deux, bavardent sur la route, dans un esprit volontairement Grace Kelly-Cary Grant. *La Main au collet* est leur film fétiche, ils aiment en rejouer les meilleurs dialogues – cette fois, ils sont dans les décors originaux. Sauf que l'embouteillage est intense, les voitures collées les unes aux autres, et que la police arrête une Mercedes sur trois pour faire ouvrir les coffres : les préparatifs de la cérémonie...

C'est après que Wandrille a raconté à Pénélope sa course-poursuite avec sœur Marie-Jo, qu'elle a pris

la décision de le rejoindre. Il sait ce qui la fait venir...
Et Wandrille, heureux, a supporté avec calme l'embou-
teillage traditionnel de la route qui va à l'aéroport de
Nice-Côte d'Azur.

La religieuse et le blouson de daim ont gravi les
marches de la salle de spectacle. Wandrille a suivi. Dans
le vestibule, personne. Il a acheté un ticket d'entrée
– le dernier chef-d'œuvre de Garnier se visite dans la
journée, il a vraiment un faux air du Cercle, ce sont
deux constructions tardives du maître de l'Opéra.

Il a pensé qu'il les retrouverait : personne au par-
terre, personne entre les moulures des loges, il s'est
joint à un groupe de touristes, mais la salle était vide
et Wandrille, qui regardait entre toutes les rangées
de fauteuils, a été pris pour un fou. La vendeuse des
tickets lui a dit en sortant que personne, en dehors
du groupe, n'était entré. C'était un mystère digne du
Fantôme de l'Opéra.

Pénélope veut absolument voir les lieux, cette sœur
Marie-Jo, elle va la retrouver.

Wandrille raconte à Pénélope ce qu'elle vient de lire
quand elle était dans l'avion. Le Monde a titré un long
papier : « Le crime du Cercle ». Aucun des suspects ne
paraît être descendu seul dans le sous-sol, tous ont, semble-
t-il, été vus par un ou deux autres, et sont parvenus à citer
les noms de ceux avec qui ils faisaient la conversation à
l'heure du crime. Soit ils se tiennent et sont tous coupables,
soit ils sont tous innocents et l'assassin a réussi à fuir.

« On ne dira jamais assez le danger pharaonique de
ces sarcophages de bronzage. Il faut savoir très vite, dit
Pénélope, les liens de cette femme avec Claude Monet...

— À son âge, tu crois qu'elle aurait pu être sa dernière poulette ?

— Idiot. C'était peut-être une bienfaitrice du musée Marmottan, je vais trouver, ce ne sera pas bien long, une femme qui connaissait parfaitement l'œuvre de l'artiste, soucieuse de son bronzage et de sa forme...

— J'adore la salle de musculation du Cercle, depuis que le Ritz est en déclin, j'aime bien aller là. Leur centre de soins est divin...

— Tu es obscène, tais-toi, pense à la morte. La musculation c'est le contraire du sport, c'est le secret pour avoir un esprit malsain dans un corps sain. Ce que je veux savoir aussi c'est son lien avec cette bonne sœur que tu as laissée filer...

— Tu crois que celui qui a escamoté sœur Marie-Jo a aussi viandé l'Américaine ? Il va la tuer ? Cet homme en blouson de daim... Je devrais peut-être aller témoigner au commissariat, si cela existe à Monaco, dire comment je les ai vus se volatiliser. Imagine que le prince retrouve son cadavre dans sa loge le soir du mariage... On donnera *Les Noces de Figaro*, je crois, mais c'est dur d'avoir des places, ces histoires d'adultère ça attire les foules. »

À la station-service de Roquebrune, la conversation continue :

« Oublions un peu ce cadavre, Péné. Tu ne la connaissais pas, après tout, tu n'avais même pas parlé avec elle. Tu es déjà allée à Giverny ?

— Jamais, pourquoi ?

— Parce que tu as l'air de tout savoir sur Monet, m'a dit papa au téléphone, qui m'a raconté comment vous aviez joué à rendre fou l'administrateur du Mobilier national.

— J'ai juste lu deux trois trucs...

— Mais tu sais que j'aime tes impostures : tu es spécialiste de l'Égypte des Coptes, premier poste à Bayeux, tu arrives à Versailles sans rien y connaître, on t'envoie en colloque à Venise, tu n'y as jamais mis les pieds... On peut faire une carrière entière comme ça, dans votre métier ?

— Pas comme vous, les journalistes, grands spécialistes de tout ! Giverny, tu as raison, faudrait aller voir. Le directeur recruté par l'Académie des beaux-arts est un vieux maître japonais, et je pense que le directeur du musée Marmottan ne peut pas le supporter.

— Tu crois que cela a un lien avec l'enlèvement de la bonne sœur ? »

9

Pénélope entre au palais

Monaco, jeudi 23 juin 2011

« Un nouvel article, Péné ! L'affaire est dans *Le Figaro*, pas en gros titre, à la fin du cahier culture... Ils ont fait le rapprochement entre le crime du Cercle et le dîner de Marmottan. La police cherche la bonne sœur. On publie une mauvaise photo en noir et blanc, je défie sa propre mère de la reconnaître.

— Montre. On cite Antonin Dechaume. C'est lui qui a dû tout raconter au journal. Ils ont fait une vraie enquête, dis-moi ! La bonne sœur n'est pas revenue à Picpus, et la supérieure a signalé la disparition de la brebis égarée au commissariat du XIIᵉ. L'Américaine assassinée passait une semaine à Paris, c'était une fan absolue de Monet, Dechaume ajoute "une amie". Elle avait un mari dans le Connecticut, qui savait qu'elle devait se rendre à Marmottan. Il a appelé Dechaume,

qui a assemblé les pièces du puzzle. Il dit au journal :
"Après notre soirée de vernissage, il y a eu un dîner plus
privé. À la fin, ma femme et moi avons constaté que ces
deux personnes avaient disparu. Sur le moment cela ne
nous a guère inquiétés, nous avons pensé que nous ne
les avions pas vues partir. Il y avait un monde fou." Pas
un mot sur ce qui liait les deux femmes. On n'explique
pas ce qu'elles ont à voir avec Monet, c'est flou cet
article... Tu veux lire ? »

Ils sont presque arrivés sur l'esplanade du palais
princier, qui vient d'être nettoyé. Il étincelle de toutes
ses pierres blanches comme les uniformes d'été des
carabiniers du prince. La barrière de police est en
place. La citadelle des Grimaldi ne sera pas prise, ni par
la force ni par la ruse – malgré la statue de bronze de
Francesco Grimaldi, surnommé Malizia, déguisé en
moine pour s'emparer du rocher au XIIIᵉ siècle. On y
lit la devise *« Deo juvante »*, qui est aussi le nom du
bateau du prince, et qu'on traduit toujours un peu
n'importe comment, alors que Jean d'Ormesson en a
trouvé, sans le dire, le meilleur équivalent : « Au plaisir
de Dieu ».

Le portable de Pénélope sonne. Elle fait signe à
Wandrille. Au bout du fil, c'est Antonin Dechaume.

Pénélope ne manifeste aucune surprise. Pourquoi
le cher maître s'adresse-t-il à elle ? Il lui explique, avec
ce ton de politesse parfaite qu'elle trouve tellement
agréable, que le conservateur des collections du Mobilier national vient de lui donner son numéro, qu'il se
permet de la déranger parce qu'il y a une urgence.

Elle est la dernière à avoir pu parler avec «notre chère sœur Marie-Jo»: lui aurait-elle donné des indices sur ses projets à venir? Dechaume ajoute qu'on a aussi cambriolé Giverny, une effraction qui l'inquiète:

«On a escaladé le mur des serres pour pénétrer dans la maison, ça s'est produit dimanche, dans la nuit. Kintô Fujiwara ne m'en avait même pas dit un mot l'autre soir au dîner. Vous savez comme il est, il vit dans ses nuages.»

À Giverny, on n'a rien pris, il n'y a rien à prendre. Rien n'a disparu, rien n'a été saccagé. Le visiteur devait connaître le lieu, savoir ce qu'il cherchait...

Pénélope fait taire Wandrille du regard et propose à l'illustre sculpteur de venir le voir dès le lendemain. Elle précise bien qu'elle s'était bornée à une conversation un peu banale avec la disparue, mais que si Dechaume consentait à lui expliquer un peu mieux qui elle était...

«Tu veux déjà me quitter? Pour ce vieux qui t'a fait du gringue?

— Faire du gringue? Tu dis ça, toi? Mais c'est toi qui as soixante-dix ans! Et d'abord, Clemenceau a dit: "Il n'y a pas de vieux messieurs, il n'y a que des femmes maladroites."

— C'est dégoûtant. Clemenceau était un horrible misogyne. Tu sais, si ça continue, Péné, je vais te quitter...

— Auparavant, je te réserve une surprise. Tu veux voir les jardins privés du palais? La robe de la princesse? Range ton portable et cache ton Leica dans ta poche...»

D'un pas assuré, Pénélope fait face à l'officier de carabiniers qui vient de s'interposer. Elle lui sourit. Devant
Wandrille suffoqué, il dit : « Mademoiselle Pénélope
Breuil ? Vous êtes attendue au palais, veuillez me
suivre, s'il vous plaît. »

10

Ce que contient le musée Napoléon
de Monaco

Monaco, jeudi 23 juin 2011

Wandrille a sous-estimé la force de cohésion des
« conservateurs du patrimoine », ce club fermé auquel
Pénélope appartient. Dans les musées, sur les chantiers
archéologiques, aux archives, sur les échafaudages des
monuments historiques, tous les « conservateurs du
patrimoine » sont solidaires.

L'année où elle avait passé le concours, elle avait
sympathisé avec un jeune homme timide de sa promotion, Édouard, conservateur dans la filière archives,
passionné par la guerre de Cent Ans, qu'il leur racontait
année par année à la récréation pour tromper l'ennui
des cours de finances publiques et de marketing.
Édouard avait disparu dans la nature – au cœur d'un
pays béni, qui lui plaisait : conservateur aux archives

départementales du Gers, à Auch. Un joli premier poste, comme Bayeux pour Pénélope. Ils étaient restés amis.

Ce jeune archiviste paléographe, un blond frisé au nez en trompette, en costume de lin tirebouchonné bleu clair, traversait en sens inverse l'esplanade et se dirigeait vers eux.

« Wandrille, je te présente Édouard, qui depuis deux ans a quitté Auch pour devenir l'archiviste du palais princier de Monaco. Édouard, tu connais mon fiancé ?

— Des fiançailles ? Bravo ! Tu as une jolie robe, dis-moi, toujours élégante. Oui, ici c'est bien aussi, même si cette semaine on ne peut pas travailler tranquillement...

— Ce doit être passionnant, hasarde Wandrille...

— Unique ! Les archives remontent au Moyen Âge, et j'ai aussi dans mes boîtes en carton non acide des lettres de Marcel Proust au prince Pierre et la correspondance de Grace Kelly avec le Tout-Hollywood...

— Ça va te changer des Plantagenêts !

— Plus la collection de tableaux, tu n'imagines pas, les Bruegel...

— Tu as des Monet ? Je travaille sur lui en ce moment. On a au Mobilier national...

— Deux serpillières, je sais, elles sont cataloguées par Wallenstein. Ici, il y en a deux, très beaux, vraiment, un paysage presque abstrait, que j'adore, un autre avec un bateau, des bleus extraordinaires. Il faut que je t'en parle. On m'en propose un autre. Une acquisition. Ça serait le troisième, l'embryon d'une "série" monégasque, que Monet aurait pu peindre s'il était resté chez nous un peu plus au lieu de s'amouracher de cette banale cathédrale de Rouen !

— C'est le peintre que la future princesse, dit Wandrille d'un air docte, a cité au journaliste idiot qui voulait la coincer en lui demandant ce qu'elle aimait en art.

— Elle a bien répondu, elle a bon goût. Avec mes collègues, on a lu ça. D'où l'idée qui nous est venue... Mais on va d'abord entrer au palais... Cette semaine le contrôle est particulièrement rigoureux, tu imagines. J'ai donné le nom de Wandrille, ils n'ont pas fait les difficiles... "Le fils du ministre ?", a dit tout de suite le colonel Brillant, le premier aide de camp et chambellan de Son Altesse sérénissime le prince... »

Édouard leur explique que, par commodité, ils vont passer par le petit musée napoléonien de Monaco, dont l'entrée jouxte le palais et qui est aussi placé sous sa direction, une ruse stratégique pour ne pas avoir à montrer dix fois leurs pièces d'identité.

Le musée est de ceux que Wandrille aime par-dessus tout. Il s'enflamme pour ce mémorial napoléonien avec des collections faites du temps du prince Louis II, fier d'être le descendant de Stéphanie de Beauharnais, fille adoptive de l'Empereur : un petit chapeau en castor authentique, le drapeau du royaume de l'île d'Elbe, le premier exil avant Sainte-Hélène, les chaussons de baptême brodés d'or du roi de Rome, une paire de gants trouvée dans la berline de Waterloo, et, sur une mezzanine très années 1970, une belle rangée de mannequins en tenue. Dans une vitrine, une fantaisie ahurissante devant laquelle Pénélope pousse un cri d'extase : une cape en plumes de cygne offerte par les grandes dames de Scandinavie à l'impératrice Eugénie à l'occasion de son mariage avec Napoléon III. Wandrille est en arrêt devant le drapeau monégasque emporté sur la Lune par *Apollo 11* et offert par Richard Nixon «au peuple de Monaco». Parmi les uniformes, ceux des troupes monégasques et même – sorti de la naphtaline à l'occasion du mariage qui se prépare – celui que portait Rainier III le jour de son union avec Grace, avec un incroyable pantalon vert garni d'une bande rouge. Et Wandrille s'émerveille en apprenant que cette création vestimentaire unique avait été dessinée par le souverain en personne, qui savait être dandy.

«Napoléon est venu à Monaco? demande Pénélope, pour jouer à celle qui s'intéresse à autre chose que Monet...

— Non, mais il avait un prince de Monaco dans son entourage, qui était chambellan de Joséphine, ils se sont croisés une dernière fois un peu avant Waterloo, une aventure invraisemblable, dans une auberge, Napoléon montait vers Paris, Monaco descendait vers sa principauté, je vous raconterai... Vous voulez voir le Monet? Il s'appelle *Monaco vu de Roquebrune*... Chef-d'œuvre. Je n'aime pas ce mot, mais là c'est vrai. On m'a proposé un autre tableau, de format plus petit, d'où mon idée d'une série peut-être, peinte ici, à Monaco, mais c'est cher...

— Il est au catalogue?

— C'est la difficulté. J'ai reçu deux spécialistes hier, qui m'ont montré une photo ancienne du tableau, faite à la bonne date dans le salon-atelier de Giverny. La preuve que Monet a bien peint cette toile. Elle était posée sur un des coffres qui lui servaient à transporter ses peintures, chez lui, à Giverny, j'ai reconnu le meuble et le décor. Mais ça ne suffit pas. La toile devrait être incluse dans le supplément du catalogue Wallenstein, et ce n'est pas encore fait. C'est qu'il y a urgence...

— Urgence ? »

Édouard, en ouvrant la petite porte fermée à clef qui permet de passer du musée napoléonien au palais, leur explique l'histoire de ce tableau de Monet qui vient de réapparaître. Il ne semble pas du tout au courant de ce qui s'est passé à Marmottan. Édouard ne lit pas les journaux, il préfère les parchemins.

Pour le mariage de Charlene et d'Albert, les proches du prince, les amis, mais aussi le personnel du palais ont eu l'idée d'un cadeau extraordinaire. Ce Monet serait parfait. La collecte a été très fructueuse, susurre Édouard sans donner aucun chiffre.

« Si nous voulons offrir le Monet dans quatre jours, il me faut un certificat Wallenstein, je ne veux prendre aucun risque... Il paraît que l'émir de Barjah est intéressé, et qu'il peut même aller un peu au-delà du prix demandé. Mais on nous donne la préférence si l'affaire se fait ces jours-ci...

— Vous croyez que cela leur fera vraiment plaisir ? demande Wandrille.

— Je crois que oui. Charlene change de nationalité, ce Monet c'est un peu de notre histoire, un peu de Monaco à la Belle Époque. Vous savez qu'elle va prendre un accent...

— Charlene est née en Rhodésie, elle a grandi en Afrique du Sud, récite Wandrille surinformé, normal qu'elle ait un petit accent quand elle parle la belle langue monégasque...

— Non, un accent sur le *e*. Elle change de prénom, elle devient Charlène.

— Ah, c'est mieux.

— Après le mariage, le 2 juillet, ce genre de remarque, pleine de sous-entendus petit-bourgeois, sera inadéquat. Honni soit qui mal y pense, elle sera Altesse sérénissime, marquise des Baux, duchesse de Valentinois, duchesse de Mazarin, duchesse de Mayenne, princesse de Château-Porcien...

— C'est joli..., risque Wandrille, surpris par l'ironie d'Édouard qui vient de le traiter en passant de petit-bourgeois, alors qu'ils traversent au pas de charge des pièces d'apparat dont les noms brillent sur des panneaux signalétiques en plexiglas : galerie des Glaces, chambre d'York, chambre de Mazarin...

— Elle sera marquise de Chilly-Mazarin.

— Je vois où c'est. RER C, zone 4.

— Marquise de Guiscard, marquise de Bailli, marquise de Carladès, comtesse de Ferrette, de Belfort, de Thann et de Rosemont, comtesse de Torigni, comtesse de Clèdes, comtesse de Longjumeau...

— Là aussi, je vois... circonscription difficile. Oh, c'est la salle du trône !

— Inclinez-vous ! Elle sera aussi baronne de Calvinet, du Buis, de La Luthumière, baronne de Hambye, baronne d'Altkirch, baronne de Saint-Lô, comtesse de Torigni, ah, je l'ai déjà dit, dame d'Issenheim, dame de Saint-Rémy...

— Ah non, celle qu'on appelle la dame de Saint-Rémy, en Provence, c'est sa future belle-sœur Caroline de Hanovre ! Elle a préféré cette localité à Saint-Lô, on n'a jamais su pourquoi.

— Elle sera dame de Matignon...

— Papa s'entend très bien avec la femme du Premier ministre. Ça aussi, ça peut prêter à confusion ! Où nous emmenez-vous, à l'étage ? »

Édouard est monégasque, depuis dix générations. Il est né à la clinique Princesse-Grace. Il a toujours sur son bureau, sous les toits du palais, qu'il est assez content de montrer à sa consœur parisienne, le petit lapin en peluche blanc que la princesse lui avait offert pour sa naissance, c'est son talisman : quand elle était à Monaco, ce qui était très fréquent, elle ne manquait jamais d'aller faire une visite à chaque bébé moné-gasque. Beaucoup d'albums de photos ici commencent par l'immortel cliché de la princesse avec la maman et le petit – et ils sont quelques-uns à avoir conservé le lapin blanc...

Édouard prend un trousseau de clefs dans son tiroir et les entraîne à travers les couloirs.

Un des deux Monet des collections du palais est une acquisition du prince, il se trouve dans ses apparte-ments. Édouard ne va jamais dans les pièces privées, mais le Monet se trouve dans le bureau officiel, celui qui avait été aménagé pour Rainier III et que son fils occupe aujourd'hui. C'est un bureau d'angle, avec deux vues sur les yachts.

Pénélope s'intéresse aux coupes remportées dans les compétitions sportives, sur l'étagère, aux photos du pôle Nord, mais elle n'ose pas trop regarder, pour ne pas avoir l'air d'être indiscrète – dans l'espoir qu'Édouard, rassuré, leur en montre encore un peu...

« Vous avez vu tous ces nouveaux bateaux, arrivés depuis une semaine, on a même des Ouzbeks et des

Kazakhs, les milliardaires ont bien changé depuis ma jeunesse. Mais ce qui est touchant c'est que les nouveaux continuent à venir chez nous, histoire de voir le summum de ce qu'on peut faire avec de l'argent... Dans ma famille on est monégasque, mais pauvre, j'y tiens. »

Au mur du bureau, le Monet est là. Ils le regardent tous les trois, devant la fenêtre qui ouvre sur la mer. La porte du salon voisin n'est pas fermée, les murs sont peints en bleu roi, une couleur choisie par la princesse Grace. Elle avait voulu donner un peu de fraîcheur à ce bâtiment ancestral qui disparaissait dans les boiseries brunes et les plafonds sombres de l'époque de son dernier ravalement, dans les années 1900.

Le tableau a l'évidence des chefs-d'œuvre, il rayonne d'une vie paisible.

C'est un paysage, mais c'est presque une abstraction, un morceau de couleur blanche et bleutée, vibrant entre des frondaisons à peine esquissées – aucune anecdote superflue, pas de barque sur la mer, mais une profondeur qui naît de la lumière.

Travailler face à ce tableau, cela doit donner de l'énergie. Pénélope se dit que certaines œuvres d'art ne sont pas forcément faites pour être vues dans des musées. Celle-ci, à côté du paysage qui se découpe dans le cadre de la fenêtre, est à sa place.

« Et qui sont les experts que tu as reçus ? Qui te propose cette acquisition ? demande Pénélope. Tu as raison d'être extrêmement prudent...

— J'ai reçu un appel d'une des historiennes de l'art qui travaillent pour la fondation Wallenstein, elle m'a demandé un rendez-vous. Elle va m'apporter, j'imagine, le dossier complet de l'œuvre. C'est l'honnêteté même. Tu ne sais pas la meilleure, c'est une bonne sœur ! »

Le soleil qui traversait les vitres du salon bleu où ils viennent d'entrer se fige d'un coup. Wandrille s'immobilise comme s'il était en train de recevoir une révélation céleste devant les quatre tapisseries un peu délavées portant les armoiries des princes de Monaco, avec les losanges blancs et rouges.

Pénélope adopte un masque parfait, se passe les doigts dans les cheveux, et demande :

« Et celui qui vend ? Tu sais qui c'est ?

— Je n'ai pas réussi à savoir, un particulier, comme on dit. Ces choses-là sont toujours très secrètes, mais l'intermédiaire est bien connu, il a pignon sur rue. Tout passe par maître Vernochet, Paul Vernochet, un ténor de l'hôtel Drouot, tu sais, on le voit souvent à la télévision... »

Pénélope se force à ne pas regarder Wandrille, qui ne sourit pas. Ils se taisent.

C'est Édouard, face à un haut miroir vénitien, qui reprend la parole en riant :

« Bon, maintenant, vous voulez voir avant tout le monde la robe de la future princesse Charlène de Monaco ? »

Édouard marque un temps, pour regarder l'expression angélique de Wandrille et le sourire béat de Pénélope, avant d'ajouter :

« Eh bien, cela, c'est impossible. Secret d'État. »

11

Fruits de mer à Villefranche

Villefranche-sur-Mer, jeudi 23 juin 2011

Wandrille a voulu montrer à Pénélope que Villefranche-sur-Mer vaut bien Villefranche-de- Rouergue. C'est à deux pas de Monaco.

La chapelle des marins peinte par Cocteau était ouverte, ils sont entrés pour regarder ces filets, ces visages, ces poissons poétiques, ils se sont promenés sur le port. La Côte d'Azur telle qu'elle aurait dû rester, avec ses villas roses et ses petites maisons, s'ouvre à eux. L'hôtel choisi par Wandrille à Villefranche est sans prétention, mais la vue est splendide.

Pénélope est entrée dans une boutique pour essayer un pantalon rouge. Wandrille aime regarder par le rideau dans la cabine d'essayage, qu'elle ne ferme jamais entièrement. Le fait-elle exprès ? Après le mariage, est-ce que tout cela sera fini ? Ils parleront de leur nouveau papier peint et des biberons des enfants ?

Rien ne presse. Ce qu'il faut, dans ce restaurant qui donne sur la rade, c'est faire le point. Wandrille aime résumer les problèmes : un tableau pour le moins douteux, attribué à Claude Monet, non référencé dans le catalogue Wallenstein, vient d'apparaître sur le marché. Celui qui sert d'intermédiaire et se montre manifestement discret, et pas forcément de mauvaise foi, ni même escroc, c'est leur vieil ami maître Vernochet. Il va falloir que Pénélope aille le voir, et lui parle franchement en sa qualité de conservatrice de musée.

Sur ce premier point, Pénélope acquiesce en commandant des gambas et du vin blanc.

Ensuite, il se trouve qu'une étrange bonne sœur, qui semble tout savoir de Monet, a été poursuivie ici même, à Monaco, et elle s'est volatilisée. Elle était accompagnée d'un homme d'une cinquantaine d'années, qui n'était pas Vernochet, Wandrille en est certain, il l'aurait reconnu, mais qui lui soumettait une photographie qui devait sans doute représenter un tableau dans l'atelier de Claude Monet – ce fameux tableau que les Monégasques amis d'Édouard rêvent d'acquérir – mais qu'ils n'achèteront pas, bien sûr, s'il ne présente pas toutes les garanties.

Or ces garanties ne peuvent être données que par l'Institut de recherches Wallenstein, qu'on imagine mal employant comme experte une religieuse de Picpus. Il faudrait donc aller enquêter du côté Wallenstein, et ça Wandrille veut bien s'en charger, il utilisera le réseau de son père, même si l'idée ne lui plaît guère.

Faut-il signaler à la police que la petite bonne sœur se trouve vraisemblablement – et de manière

invraisemblable – à Monaco ? Pénélope et Wandrille
hésitent un peu... Oui, sans doute, si elle est en danger.
Mais son « ravisseur » en blouson de daim semble avoir
besoin d'elle...

Reste le cadavre, qui donne à cette affaire – qui
par bien des côtés pourrait ressembler à une comédie
musicale – la dimension d'une tragédie. Cette Carolyne
Square, qui a été assassinée, et certainement pas par le
coach de l'établissement, était elle aussi directement
liée au milieu des collectionneurs de Monet – mais
ce lien doit être éclairci, expliqué. Ce sera un point
clé de l'enquête. Elle connaissait Antonin Dechaume,
qui l'avait invitée. Avait-elle prêté un tableau à l'exposition ? Elle venait de rencontrer sœur Marie-Jo et
visiblement leur conversation avait été décisive. Elles
avaient disparu aussitôt après, et il faut comprendre
pourquoi.

Celui qu'il faut faire parler d'abord, Pénélope en est
convaincue, c'est Dechaume. Et justement, il souhaite
s'exprimer. Voilà la priorité.

Wandrille, vexé, note que Pénélope, à peine arrivée,
a déjà réservé son billet de retour. Demain, elle sera
dans l'atelier du sculpteur, à Montparnasse – sans
doute a-t-il voulu, en lui donnant rendez-vous là, ne
pas ameuter inutilement toutes les oreilles indiscrètes
des bureaux de la conservation de Marmottan.

Sur la terrasse, on a apporté des friandises, le dîner
s'achève.

« Tu sais, Wandrille, ici on ne trouvera rien. Édouard
veille, il nous préviendra s'il y a du nouveau du côté
du palais. Le mariage du prince a lieu la semaine

prochaine, tu as le temps de venir avec moi à Paris, de voir Wallenstein pendant que moi j'irai chez Dechaume. Il faut aussi enquêter sur Vernochet, prudent comme un renard...

— Dechaume, Wallenstein, notre ami Vernochet, Édouard à Monaco, je suis d'accord avec tout cela, on va continuer à les faire parler, ils ont chacun une pièce du puzzle, mais moi je vois trois autres pistes, que tu négliges.

— Dis.

— D'abord Picpus. Il faut y aller.

— J'irai. Il vaut mieux une femme pour enquêter chez les religieuses.

— Tu mettras un fichu et ta médaille de baptême. Tu n'oublieras pas de dire "ma mère" et pas "ma sœur", ça leur plaît toujours mieux.

— Évidemment. Je réserve la minijupe léopard pour ma visite à l'atelier du grand sculpteur. Ensuite ?

— Il faut savoir qui est Carolyne Square. Elle avait semble-t-il une entreprise aux États-Unis, un mari, elle a des amis qui peuvent peut-être parler d'elle, pour le moment sa dépouille doit être sous le contrôle de la préfecture de police. Il faut savoir qui vient lui rendre hommage, qui la pleure, qui elle était.

— Ça, ça fera partie de ma mission chez Dechaume. C'est lui qui pourra me dire tout cela. Et tu en sauras peut-être un peu plus si tu arrives à faire parler Thomas Wallenstein.

— Ce sera le plus difficile, je pense. Il a hérité des fiches que son grand-père avait établies sur les tableaux de Monet, les vrais et les faux, il les tient à jour, mais tu imagines que ça met en jeu d'énormes intérêts financiers. Il ne va pas tout me raconter comme ça pour me faire plaisir.

— Tu parlais d'une troisième piste, je ne vois pas.

— C'est la première en fait. J'y vais à l'intuition, tu me connais. Il y a la liste de ce qu'il faut faire, de ceux qu'on doit voir, et puis il y a l'instinct. Ni toi ni moi nous ne sommes encore allés à Giverny. Crois-moi, tous les mystères autour de Monet renvoient à ce village, je sens qu'il faut y aller, en touristes.»

DEUXIÈME PARTIE

Les parfums de Giverny

« Imaginons que le genre humain tout entier ne se pourvoie plus de réalités que par l'ouïe et l'odorat. Imaginons que soient ainsi annulées les perceptions oculaires [...].
L'humanité oublierait qu'il y a eu un espace. »

JORGE LUIS BORGES
« L'avant-dernière version de la réalité » (1928)
repris dans *Discussion* (1932),
traduction de Paul Bénichou.

1

Ce que fait un sculpteur
quand il ne sculpte pas

Paris, vendredi 24 juin 2011

Wandrille voulait commencer par explorer Giverny avec Pénélope, mais elle a souhaité le contrarier. Ils ont passé le dîner à tracer leur plan d'action. Ils sont allés au cinéma, à Nice, ils se sont endormis dans leurs fauteuils, l'un contre l'autre, main dans la main. Ensuite ils se sont promenés en silence, vers une heure du matin, devant la mer.

Pénélope, à peine arrivée à Orly, se précipite en taxi chez Antonin Déchaume, dans son atelier de Montparnasse, rue de la Grande-Chaumière. Il a fixé le rendez-vous. Dechaume a su l'allécher au téléphone :

« Venez me voir, j'ai des choses à vous raconter – et à vous montrer. Je veux aussi vous interroger, c'est important. Pour moi, Pénélope, vous êtes le témoin capital, même si vous n'en avez pas conscience. »

Elle n'a pas osé discuter. Le cher maître lui en impose. A-t-elle compris que son charme agissait sur cet heureux septuagénaire ? Elle veut savoir pourquoi deux femmes, sous ses yeux, ont disparu sans bruit.

L'atelier du maître est caché au fond d'une impasse, au rez-de-chaussée d'un immeuble un peu vétuste. Les sculpteurs, depuis toujours, sont au rez-de-chaussée, et les peintres sous les toits.

Dans la grande pièce peinte en noir qui s'ouvre sur un mur de verre donnant sur un jardin, le futur musée Dechaume s'ordonne déjà. Des premiers plâtres encore inspirés par l'art de Maillol aux compositions plus originales qui ont fait sa gloire : un modèle en terre de la fameuse *Carpe-lapin* trône sur une sellette de bois. L'atelier est mis en scène, prêt pour un reportage photo ou pour accueillir un gros client venu des émirats ou d'une municipalité fortunée souhaitant honorer son grand homme au centre d'un rond-point.

Antonin Dechaume ouvre la porte en souriant, veste en velours côtelé bleu et grosse chemise de bûcheron canadien rouge, très déboutonnée. Il restera pour la postérité celui qui a relancé et modernisé cet art qui semblait disparu : la sculpture de personnages célèbres. Il a « fait » Lindbergh, la reine Astrid, Luchino Visconti et mère Teresa – un cadeau réalisé à ses frais en vue du salut de son âme pour la place centrale du village natal de la sainte, en Albanie. Pénélope s'extasie sur les petites terres glaises, ses esquisses, reconnaît Brigitte Bardot en plâtre et en modèle réduit. Elle la repose sur l'étagère de bois et prend en main un cheval ; il commente :

«Je vois que vous savez regarder une sculpture, vous tournez autour : aucun endroit ne doit être faible, et il faut que chaque morceau soit intéressant sous tous les angles. Posez votre doigt sur cette cuisse de cheval, caressez-la, j'ai recommencé dix fois. Oubliez la statue, ne regardez que ça. Il se passe quelque chose, juste ici. Ça vit. On m'a donné une misère pour ce cheval, mais je m'en fiche, c'était pour l'hippodrome de Limoges, j'avais envie de faire un cheval, j'ai sué sang et eau, je ne leur ai demandé que le prix du bronze.

— Vous êtes un bienfaiteur !

— Que non ! Sa Grâce l'émir de Barjah, généralissime et vice-commandant suprême des forces aériennes et navales de son pays, l'a vu, mon petit cheval. Il a les meilleurs pur-sang de tous les émirats. Il m'a commandé dix sculptures, une écurie. Ça m'a rapporté une fortune et j'ai modelé les dix en deux mois, j'avais pigé le truc, la manière de faire vivre un cheval. Je me suis acheté un immeuble à Paris, mes petits-enfants en vivront encore. Je vais vous révéler un secret. L'argent et le travail, pour les gens comme nous, ça n'a rien à voir. S'il y a un lien entre votre travail et l'argent que vous gagnez, c'est que vous êtes un tâcheron. Il n'y a que les plébéiens qui croient qu'en travaillant plus on va gagner plus. Je vais vous donner un conseil dont vous vous souviendrez. Il faut un bon équilibre entre des travaux de force qui ne nous rapportent rien et des trucs qu'on bâcle qui vous donnent la fortune. Regardez, pour vous, c'est pareil, vous avez bossé comme une folle pour réussir votre concours des conservateurs, il fallait tout savoir en histoire de l'art, de la grotte de Lascaux à nos jours, parler deux langues vivantes et une langue ancienne, savoir faire des notes de synthèse et des analyses, vous en tirez un salaire de gendarme – et vous ne partirez pas à la retraite avec une pension de commandant, ma pauvre petite. Mais si un jour un grand collectionneur vous engage pour une expertise, vous êtes conservateur d'État, vous pouvez lui demander votre poids en or pour une notice que vous tartinerez en deux heures, alors que pour la même notice, dans un catalogue du Grand Palais, la Réunion des musées nationaux vous donnera seize euros...

— Vous plaisantez, j'espère. La déontologie des conservateurs leur interdit de faire des expertises. Nous pouvons tout au plus donner un avis, et sans émoluments... Je fais mon métier par passion, pas pour l'argent. J'aurais fait d'autres études si j'avais voulu devenir riche... »

Ce Dechaume ne va pas tarder à l'agacer avec ses chevaux de bronze et ses provocations. Il a évidemment beaucoup de choses à dire, il détourne la conversation.

Elle lui dit, en reprenant son sac à main posé à côté de sa chaise – un petit Longchamp du temps où elle faisait des efforts pour s'intégrer à la conservation de Versailles –, qu'elle ne lui sera d'aucune utilité. S'il veut une experte pour authentifier des tableaux, il ne s'adresse pas à la bonne personne. Mais il balaye l'idée, il n'a pas besoin d'un avis sur un tableau, mais sur ce qui s'est dit, à Marmottan...

Elle prend le temps de lui raconter ce qu'elle a vu au dîner du vernissage, les propos convenus qu'elle a échangés ce soir-là avec sa voisine de table, qui ne disait

pas grand-chose, et comment maître Vernochet avait
monopolisé la conversation.

« Ah, celui-là, on est obligé de l'inviter, il connaît tout
le monde, il jacasse. Un jour je vais le rayer du fichier...
Donc, vous ne savez rien.

— Si grâce à vous, cher maître, je comprends un peu
mieux ce qui s'est passé vraiment ce soir-là, je pourrai
peut-être vous aider. Pourquoi aviez-vous invité ces
deux femmes ? Qui étaient-elles ? Elles ne se connais-
saient pas avant de se parler devant ce grand Monet si
étrange, si abstrait ?

— Disons qu'elles ne s'étaient jamais rencontrées, en
effet... Et moi, avant de les voir ensemble, je n'avais pas
compris qui elles étaient. J'ai su tout de suite. Asseyez-
vous. Je vous sers du vin blanc. Appelez-moi Antonin.
Quand j'entends "cher maître", je vois ma tombe. Vous
avez aimé l'expo ?

— Beaucoup.

— Vous savez que mon musée, qui a l'air si absurde,
est le meilleur endroit au monde pour comprendre l'art
du XIXe siècle, il y a tout !

— Et les lunettes de Monet, au centre de l'exposition ?

— Mon idée ! Ça a intéressé tout le monde. Vous
savez, ceux qui disent qu'il peignait flou, sombre, pâteux,
à la fin, parce qu'il avait la cataracte...

— Oui, les adeptes des explications "scientifiques"
de l'art vont se réjouir. Le dossier médical de Monet
explique sa peinture : trois opérations des yeux, grâce
à son vieil ami Clemenceau qui a insisté, le Tigre avait
quand même exercé la médecine pendant vingt ans...
On ne va pas expliquer l'allongement des figures dans

les tableaux du Greco en disant que l'Espagnol était astigmate... C'est ce qu'écrivaient les médecins cultivés des années 1930 qui se piquaient d'histoire de l'art...

— Le médecin cultivé, encore une espèce qui pourrait disparaître... Vous diriez quoi, vous, Pénélope ?

— Tout simplement que Monet perdait la vue et qu'avec une énergie sublime il a tenté de peindre un autre monde, un monde au-delà du visible, et qu'il a inventé une abstraction lyrique. Ça a parlé à Matisse, à Jackson Pollock, à Sam Francis, il a ouvert le XXᵉ siècle. Tout aveugle est un voyant. C'est Homère, le poète qu'on dit aveugle, qui crée son monde, comme un devin...

— Bravo. C'est exactement ce que révèle notre catalogue. Arrêtez de tout critiquer et lisez un peu : j'ai demandé à un grand professeur d'ophtalmologie d'écrire la préface, exactement ce que vous venez de me dire, lumineux. »

Pénélope a l'impression qu'il s'agit d'un entretien de recrutement. Dechaume n'en fait pas mystère : il veut la « débaucher », il cherche un vrai conservateur du patrimoine pour son musée. Il est artiste, il se sent à sa place, mais il aimerait qu'un regard plus scientifique soit porté sur ses collections. Il enlève sa veste, la pose sur le dossier de sa chaise, relève les manches de sa chemise, et précise :

« On ne sait pas tout, aujourd'hui encore, sur le cas Claude Monet. »

Pénélope n'ose pas lui répondre qu'elle n'en connaît pas grand-chose.

« Monet est un mystère pour moi. Les historiens de l'art ne sont pas tous comme vous de bons enquêteurs, Pénélope. »

Il laisse un silence s'installer et la regarde, qui, un peu gênée, boit une gorgée de vin.

« Depuis des années, reprend Dechaume, je suis à la tête de Marmottan, je vis avec ce vieux barbu, je lui suis attaché. Je préfère Rodin, mais j'aime bien Monet, ils étaient un peu en rivalité, vous savez... Si vous voulez comprendre pourquoi sœur Marie-Jo est un personnage très important, ma petite religieuse de Picpus, je peux vous le dire en un mot : elle était en train de percer les secrets de Monet.

— Monet, des secrets ? Elle en savait plus que les autres ? Une révélation du Saint-Esprit ?

— Monet, qu'on croit le plus simple des artistes, naturel et franc, est un concentré de mystères. Je me suis fait très vite en arrivant dans mon musée une petite liste de ce que je ne comprends pas chez lui. Et les mystères de Monet sont, je le crains, la clef de ce qui se passe cette semaine... »

Dechaume, devant le modèle en terre de son petit cheval, a l'air d'un géant. Pénélope n'a pas l'intention de s'en laisser conter. Le boniment semble au point, il suffit d'attendre qu'il ait fini d'aligner des paradoxes. Il ouvre ses deux mains comme s'il faisait apparaître une cassette d'or et de pierreries :

« À partir de 1895, Monet est richissime.

— Vous exagérez un peu.

— On connaît son portefeuille de titres, géré par la Société générale de Vernon, avec, en 1913, un capital de près d'un million. Écoutez ça, c'est dans mon carnet, de la poésie pure : Sucrerie d'égypte, obligations bulgares, argentines, japonaises, russes, Chemins de fer de São Paulo, Banque Russo-Asiatique, Magasins du Printemps, Port de Para, American Telegraph-Telephone, Brazil Railway, Compagnie lorraine d'électricité, Colonisation Japon, Tramways parisiens...

— De bons placements !

— Et toutes ces liasses d'actions fructifient, il aime ça. Mais on ne sait pas d'où ça sort, c'est bien plus que ce que lui versent Durand-Ruel ou les frères Bernheim, ses marchands de cette époque.

— Et que fait-il de tout cet argent ?

— On veut continuer à nous faire croire qu'il se ruine chez Truffaut... Je n'y crois pas. Acheter des graines, ça ne coûte pas si cher... Il s'offre une Panhard-Levassor 8 chevaux dernier modèle, du grand luxe, mais bon on ne sait pas où passe le reste... La cuisinière, Marguerite, fait tout avec les légumes et les fruits du jardin, on chasse, on achète au bourg, la vie à Giverny est meilleur marché qu'à la Madeleine ou aux Batignolles !

— Monet devenu rentier ? Je n'avais jamais vu le personnage comme ça... »

Dechaume est passionné, Pénélope commence à être intéressée. Dans la vie de Monet, il y a un tournant. Il est devenu très riche à la fin des années 1890. Il a acquis Giverny, il a embelli et agrandi cette maison de campagne en bordure de voie ferrée qui n'avait pas beaucoup d'allure. C'est devenu un petit château, son « clos normand », et le train s'arrêtait devant son perron pour lui faire plaisir les jours où il voulait aller à Paris. Monet est un gentilhomme campagnard.

« Deuxième énigme de ma liste : de quand date son brillant réseau de relations ? Je vous ressers, accompagnez-moi, ne me laissez pas boire seul, à mon âge ce ne serait pas convenable. Comment ce peintre refusé par le jury du Salon, qui a tant de mal à exposer, plus encore à vendre, dont la famille n'était même pas introduite dans la bonne société du Havre, rencontre-t-il partout, à chaque étape, les gens qu'il faut ?

— Cela ne me semble pas si étonnant. Il a d'abord une première période misérable et solitaire, à part Clemenceau avec lequel il est devenu ami, il ne connaît personne qui soit en vue. Puis, avec le succès, les bonnes relations arrivent, schéma classique...

— Pas tant que ça. Prenons l'époque où il est déjà reconnu, où il vend bien, il fait trois séjours à Londres, entre 1899 et 1904. Des voyages marquants. Il pourrait aller se délecter des verts de la campagne anglaise, ou voir si les falaises de Douvres ne seraient pas plus belles que celles d'Étretat. Eh bien, il ne bouge pas de la capitale et les gens qu'il rencontre, comme si c'était par hasard, sont stupéfiants, tout le gratin politique anglais. Je ne sais pas comment il est arrivé à peindre malgré tout autant de vues de la Tamise. »

Pénélope n'est pas venue ici pour qu'on lui raconte la vie de Monet. Et Dechaume explique, en la reservant de montrachet, comment en février 1900 Clemenceau en personne vient le retrouver là-bas. Il s'est installé au Savoy. Clemenceau l'appelle le « bon voyant », c'est drôle comme expression. Monet rencontre par exemple Mrs. Asquith, un des contacts de Clemenceau, la femme de celui qui, en 1908, devient Premier ministre. On ne sait rien de leurs rapports, le seul document qu'on possède c'est l'autorisation d'accès à la Tour de Londres qu'elle lui a procurée. Voulait-il peindre ce haut lieu de l'histoire anglaise ? Aucun tableau n'en témoigne. Avec Mrs. Asquith, il rencontre beaucoup de membres de la Chambre des lords et de celle des communes.

« Il veut peut-être séduire une clientèle susceptible de commander des portraits mondains. Renoir en tartine en quantité à cette époque, ça se vend bien.

— Pénélope, on ne connaît aucun portrait de parlementaire britannique peint par Monet...

— Il serait au cœur de la vie politique anglaise ? Cela ne cadre pas bien avec l'image du peintre des coquelicots. Et vous avez raison, j'ai feuilleté le catalogue Wallenstein, on n'a aucune vue de la Tour de Londres par Monet.

— Monet par exemple est invité à assister au convoi funèbre de la reine Victoria, morte en janvier 1901. C'est alors qu'il rencontre Henry James, qui connaît le Tout-Boston, le plus grand écrivain américain. Ils sont assis au même balcon. Au premier étage d'une maison de Buckingham Gate, chez des amis très fortunés et très influents.

— Jolie scène, racontez-moi, j'imagine toutes les maisons du parcours drapées de crêpe...

— Pas de noir pour la reine Victoria ! Elle est en robe de mariée et toutes les fleurs sont blanches, ça a dû plaire à notre Claude. Henry James parle un français impeccable, que se sont-ils dit ? On l'ignore. »

Pénélope imagine cette scène d'une parfaite invraisemblance. Quand Victoria est montée sur le trône, la peinture en était aux élèves de Jacques Louis David, on admirait les *Sabines* et on discutait des nouveautés apportées par M. Ingres, on s'effrayait de l'audace d'Eugène Delacroix. Elle-même avait pratiqué l'aquarelle, rempli des albums de bords de mer, collectionné les orientalistes. À sa mort, Monet est là, et ce qu'il peint est d'une modernité incroyable...

« Le plus grand peintre français et le plus grand écrivain américain sur le même balcon, c'est beau...

— Leur ami commun, Pénélope, c'est l'Américain John Singer Sargent, très grand peintre lui aussi, très "homme du monde". Il va souvent voir Monet, au Savoy, chambre 541, qui devient leur quartier général. Or voici ce qui m'intrigue. Sargent trouve pour Monet, à la demande de celui-ci, une sorte de cache dans Londres : une petite pièce à l'arrière d'un club dont Monet dit "là au moins je ne serai vu de personne", dans une lettre que j'ai lue. Pourtant, il n'y reste que du 5 au 10 mars 1901. Les historiens de l'art disent qu'il y aurait peint trois toiles, des nocturnes londoniens. Que faisait le peintre de la lumière dans les nuits de Londres ? Il passait des nuits à marcher. Et Alice se morfond à Giverny pendant ce temps-là, elle se querelle avec les domestiques, il s'en moque !

— Alice ne devait pas être très facile... Monet ne l'emmenait guère en voyage... Je crois qu'il n'y a rien là de mystérieux, le séjour de Londres a été très prolifique, il a énormément peint, non ?

— Il y a un peintre qui a connu Monet à cette époque, Alexander Harrison, ami de Sargent. Il dit que Monet ne peint pas dans Londres, qu'il travaille tout en atelier. Il a même osé écrire plus tard qu'il envoyait à Monet des photographies des ponts de Londres et du Parlement pour finir ses toiles de Londres à Giverny.

— Calomnies ! On a retrouvé des grains de sable dans ses scènes de plage. Monet fait tout en plein air ! C'est son credo !

— Au début, sans aucun doute, mais ensuite... Il a une méthode, il peint vite.

— Pour capter l'instant.

— Il est capable selon moi de brosser dix vues de Londres, de mémoire, en trois jours, histoire de faire croire à Alice et à ses marchands qu'il a énormément travaillé pendant son séjour. Mon idée, c'est que Monet à Londres ne consacre pas du tout son temps à peindre, et qu'il y fait bien d'autres choses, pour lesquelles il a besoin d'être absolument seul et tranquille.

— À part Londres, il a fait des sauts de puce à droite et à gauche, mais il n'entreprend pas de vrais voyages...

— Vous plaisantez ! En 1904, impromptu de Madrid : Alice cette fois est du voyage. En bon bas-bleu elle l'emmène dans les musées. C'est Greco à Tolède et Vélasquez au Prado, les grands d'Espagne leur ouvrent leurs collections, les plus riches amis de la famille royale viennent les voir, et je peux vous garantir que ce n'est ni le charme ni le sourire d'Alice Monet qui est susceptible d'attirer tout ce beau monde, elle n'a rien d'une grande dame... Elle va y prendre goût et exiger bientôt Venise. »

Pénélope se demande s'il va en arriver à lui parler du séjour de Monet sur la Côte d'Azur et à Monaco. Il semble éviter le sujet.

Les vraies raisons du départ du couple Monet pour Venise sont épouvantables, ajoute le directeur de

Marmottan en baissant la voix. Il explique à Pénélope qu'il ne peut rien lui dire...

Elle insiste. Il lui révèle alors que Monet et Alice avaient eu peur des attaques des journaux. Il était devenu un personnage public, très contesté comme peintre, un homme en vue, elle voulait jouer enfin un rôle de dame convenable et chic. Coup de tonnerre : on avait assassiné sauvagement le mari d'une des sœurs d'Alice, un crime crapuleux qui avait été le feuilleton de l'année 1908.

« Sœur Marie-Jo venait de reconstituer toute l'affaire. Elle avait refait l'enquête, lu tous les journaux, épluché les archives de la préfecture de police. Elle avait eu le temps de me raconter un peu, mais nous devions nous revoir cette semaine. Elle semblait attacher beaucoup d'importance à cette aventure. Cela s'appelle dans les annales de la police "le crime de la rue de la Pépinière", jamais éclairci. Monet s'en serait bien passé. Parce que ce n'est pas seulement un assassinat, c'est un vrai scandale, une affaire de mœurs comme on disait. Cela n'effarouchait d'ailleurs pas du tout notre religieuse. Monet veut changer les idées de sa femme, il l'emmène en Italie. »

Pénélope se promet bien de chercher à en savoir plus sur cette affaire. Un crime lié à Claude Monet, aucun des ouvrages d'histoire de l'art qu'elle a lus n'en fait mention... Qu'était-ce, cette rue de la Pépinière ? Cela ne lui dit rien.

Le soir même, elle se promet de lancer Wandrille sur cette piste : en consultant les journaux de l'époque sur le site internet de la Bibliothèque nationale, il aura vite compris toute l'affaire.

« Le crime de la rue de la Pépinière, c'est le troisième mystère sur ma liste. Je ne comprends pas ce qui s'est passé. Pourquoi cela a touché les Monet de si près, Alice ne voyait pas si souvent sa sœur et son beau-frère... Pourquoi je vous raconte tout ça, Pénélope...

— Parce que cette religieuse a disparu ?

— Elle venait au musée travailler à partir des documents Monet que nous avons dans les réserves, c'était un puits de science. Elle était la parfaite petite souris grise qu'elle avait l'air d'être, autoritaire, déterminée, bûcheuse, elle ne lâchait jamais le morceau, pour la plus grande gloire de Dieu et du couvent de Picpus : les recherches de sœur Marie-Jo sur Monet lui rapportaient énormément d'argent. Elle me racontait tout, je lui donnais des idées, elle en avait aussi, qu'elle testait sur moi, elle avait beaucoup avancé depuis un an. Je voulais qu'elle écrive une biographie. Ce n'était pas moi qui la payais. Je n'aurais pas eu les moyens de l'entretenir, elle était très gourmande, les bonnes œuvres ça peut très vite devenir faramineux, mais elle venait toujours me parler, pour le plaisir, après une journée dans nos réserves... Elle remontait de la chambre forte du sous-sol, Paprika et moi nous lui faisions du thé, mais une fois sur deux elle me faisait sortir mes bouteilles de vieux whisky... C'est elle qui faisait vivre sa communauté, grâce à Monet.

— Il faut m'expliquer comment c'est possible. Pourquoi, cher maître, parlez-vous d'elle au passé ? »

2

Où Wandrille médite l'assassinat
de sa voisine pianiste et imagine de devenir,
enfin, écrivain

Paris, vendredi 24 juin 2011

Wandrille a filé chez lui, retrouver son appartement : sa voisine Sophie, qui avait dû s'apercevoir qu'il n'était plus là ces jours derniers, fait retentir dans la cage d'escalier des notes d'une sonate de Beethoven sur laquelle elle s'acharnait déjà la semaine passée. Wandrille aime bien sa voisine, une fille très dynamique, il n'ose rien lui dire – mais son appartement à lui est en train de devenir inhabitable... Il reconstitue toute l'histoire. Elle a dû se faire plaquer par son petit ami. Du coup la malheureuse se venge sur son piano. Impossible d'aller frapper pour lui demander d'arrêter, elle va pleurer.

Sur le meurtre de Carolyne Square, difficile de recueillir des informations. Les journaux semblent déjà passés à autre chose. Wandrille regrette un peu d'avoir quitté le monde enchanté de Monaco, d'autant qu'avec le sympathique archiviste au costume de lin il sent qu'il aurait pu apprendre bien des choses au sujet des préparatifs du mariage...

Wandrille a tout organisé pour une journée à Giverny. Ils vont y aller le lendemain. Il a aussi mené l'enquête au sujet des Wallenstein.

L'«Institut Wallenstein» est un coffre-fort en pierre de taille, rue de Tilsitt, impossible d'y entrer, c'est un mythe dans l'histoire de l'art. On dit que des centaines de tableaux dorment dans ses caves. C'est là que se trouve l'essentiel de la documentation sur laquelle cette famille d'experts et de collectionneurs depuis trois générations a construit sa puissance. Rien de suspect, lui a assuré son père, ils sont très fortunés, intelligents, ils veulent avoir la paix, c'est leur droit, non ? Son père connaît vaguement l'héritier, ce Thomas Wallenstein, et il lui a promis de lui téléphoner pour lui demander si par hasard il ne pourrait pas recevoir son «bon à rien de fils» – ça fait toujours plaisir.

Pénélope lui envoie un texto : «Dechaume raconte plein de trucs. Suis saine et suave» – avec ces «Smartphones» les mots d'esprit s'écrivent tout seuls. Puis elle a tapé un second message aussitôt après : «Il est allé à la cave me chercher du vin blanc. Trouve tout ce que tu peux sur Internet au sujet d'un crime rue de la Pépinière en 1908.»

Depuis des années qu'il est journaliste, Wandrille se dit qu'il est prêt à devenir écrivain. Il va s'y mettre, en essayant de faire abstraction de ce vacarme beethovénien qui l'exaspère de plus en plus. Il a acheté un cahier de moleskine grand format. Pas un roman, on en a trop fait, pas un livre d'histoire, on n'en peut plus : une pièce de théâtre.

Un petit acte en prose. La scène se passera sur une route, du côté de Cannes. Quand il en a dit l'argument à Pénélope, elle a trouvé ça formidable. Titre : *Où allez-vous, Monaco ?* La recette du succès au théâtre c'est de concentrer le budget : n'avoir que deux personnages, mais deux bons acteurs «bankables», qui vont tenir la pièce, un vague décor et une excellente attachée de presse. Les deux acteurs joueront l'un Napoléon, l'autre le prince de Monaco, impossible de faire mieux. Il lui faudrait Christian Clavier et Jean Rochefort. Il hésite à l'écrire en vers, comme une pièce d'Edmond Rostand, bien sûr ça sera un peu plus difficile. Mais rien n'est impossible à Wandrille : il est heureux. Pénélope et lui se marient.

«Quoi, c'est vous, Monaco, et dans quel équipage !

— Oui, je suis souverain et voyage sans pages...»

Il en est là. Il faudra deux costumes, mais faciles à trouver. Napoléon exilé à l'île d'Elbe vient de débarquer à Golfe-Juan : petit chapeau, redingote grise. Dans l'auberge qui l'accueille, lui et une poignée d'hommes, il reconnaît, caché dans son manteau de voyage et déguisé en bon bourgeois, un cavalier qui était officier dans sa garde personnelle aux Tuileries, l'année précédente, avant l'abdication et l'invasion de la France par les troupes alliées. Cet officier s'appelle Honoré Charles Anne Marie Maurice Grimaldi Le roi

Louis XVIII installé dans les salons pleins d'aigles et de N du palais des Tuileries vient de le replacer, lui aussi, sur son trône.

Il est désormais, aux yeux de tous, Honoré IV, prince de Monaco. Aux yeux de tous, c'est vite dit, car nul ne le sait : le roi Louis XVIII à peine restauré vient d'apprendre que Napoléon vole vers Paris, et sur le Rocher il n'est pas certain que les pêcheurs et les cabaretiers aient entendu dire que leur prince était en route pour retrouver ses terres. Napoléon, qui l'a reconnu en un éclair, l'interpelle, en prose ça pourrait donner ça :

« Où allez-vous, Monaco ?

— Je rentre chez moi, Sire.

— Moi aussi, aux Tuileries ! »

L'aigle qui allait se hisser de clocher en clocher jusqu'aux tours de Notre-Dame et le prince qui partait ceindre sa couronne se sont enfermés durant deux heures dans une auberge, et personne n'entendit la suite de leur conversation.

Reste donc à l'écrire, s'est dit Wandrille, tous les ingrédients du triomphe sont là... L'humanité du pouvoir, la folie des conquêtes, à Paris, Talleyrand – lointain prédécesseur de papa – et Fouché – l'inventeur des méthodes de maman –, ça touche Wandrille, ce premier voyageur au fait de tout arrivant de la capitale que Napoléon croise sur son chemin, et qui l'informe des potins, l'impératrice Marie-Louise qui ne répond plus au téléphone et tous les anachronismes monégasques qu'on pourra imaginer.

Ou alors, il hésite, autre pièce possible, il y aurait un autre dialogue de deux grands hommes à inventer. Mais on n'a aucun document historique. Le prince Albert Ier, le grand navigateur, le pionnier de l'exploration des fonds marins, le modèle du capitaine Nemo, rencontrant par hasard Claude Monet en train de peindre dans les rochers devant Cap-Martin. Claude Monet ce serait Depardieu, le prince Albert Ier ce pourrait être… voyons…

La *Lettre à Élise*, ça suffit. Wandrille, qui n'arrive pas à se concentrer, se décide. Tant pis s'il vexe sa voisine, il envoie un texto : «Si tu ne passes pas tout de suite au second mouvement, je lance une machine à laver cycle long.»

La réponse, qui arrive immédiatement, est un mystère de plus : «Mais enfin Wandrille ça voudrait dire que je me suis remise à mon piano, je n'ai rien joué depuis des années. Bisous. Sophie.»

Et Pénélope qui n'est toujours pas sortie de chez ce sculpteur !

3

Quand Antonin Dechaume
règle ses comptes

Paris, vendredi 24 juin 2011

«Je vous avais gâtée, Pénélope : vous aviez comme
voisine la personne au monde qui sait le plus de choses
sur Claude Monet.

— La bonne sœur, vous me l'avez dit, mais pourquoi ?

— Une petite sœur de Picpus, un peu de respect, la
crème des religieuses parisiennes. Sœur Marie-Josèphe
a soutenu une thèse en Sorbonne, en histoire de l'art,
sur les archives Monet : Monet a laissé tous ses livres,
qui sont à Giverny, chez Kintô Fujiwara, reliés en rouge
comme dans une bibliothèque municipale, on n'a pas
idée... Mais surtout le plus intéressant, les documents,
les lettres, les comptes, que je possède, chez moi !

— Chez vous ?

— Façon de parler, tout est dans des classeurs, à la
réserve, au sous-sol de Marmottan : les carnets, les

brouillons de sa correspondance, les cartes postales, mais surtout les photographies. Les photos, on les connaissait depuis longtemps, même s'il y en a une ou deux qu'elle a retrouvées, c'est à partir des vues faites à l'intérieur de la maison que ce Japonais de malheur a fait copier les œuvres pour les replacer exactement où elles étaient au temps de Monet. Enfin presque, parce que tous les collectionneurs n'ont pas donné leur autorisation. Vous irez voir, là-bas, il y a un pan de mur où la restitution est approximative…»

Dechaume explique enfin ce que la rencontre de ces deux femmes avait d'invraisemblable l'autre soir. C'était suffisant pour provoquer un court-circuit, au sens propre comme au sens figuré.

Les méthodes de l'Institut de recherches Wallenstein ne sont pas celles qu'utilisent habituellement les conservateurs pour établir le catalogue raisonné d'un artiste. Elles s'accompagnent de grandes précautions, car beaucoup de faux Monet circulent, peut-être parce que c'est un artiste qu'il est assez facile de copier. Le protocole d'attribution des œuvres à l'artiste a été établi à l'occasion de la première édition du catalogue, qui avait demandé quinze ans de travail secret. La famille Wallenstein est très riche, l'aïeul avait une réputation d'homme incorruptible : ce n'est pas en l'invitant à la campagne, en lui offrant des voitures et des croisières qu'on pouvait espérer faire entrer un « Monet » de plus dans le catalogue en cours.

Deux enquêtes parallèles sont faites pour chaque toile. Une enquête dans les archives : provenance, liste des divers propriétaires, jusqu'aux mentions de l'œuvre dans les témoignages et les lettres, les catalogues d'expositions du temps de l'artiste, la présence du tableau dans les fameuses photographies faites à Giverny. Le noyau dur des toiles d'Orsay et de Marmottan ont ainsi, évidemment, des pedigrees impeccables. En parallèle, même pour les peintures dont la traçabilité ne permet aucun doute, un autre expert travaille, mais sans aucun document. Il dispose de l'œuvre pendant une semaine, et l'étudie à la loupe : macro-photographies, prélèvements de particules de peinture sur les bordures, analyses de laboratoire, lampe de Wood pour voir si sous l'œuvre visible ne s'en cache pas une autre. Au cours des années, les méthodes ont progressé et le catalogue se précise, au fil des réimpressions et des examens.

Les deux dossiers d'expertise parvenaient sur le bureau de M. Wallenstein, et il tranchait. Quand il y avait désaccord, c'est lui qui d'un coup d'œil – mais quel œil, infaillible – disait sans avoir à se justifier « oui » ou « non ». Il était haï par nombre de galeristes, de commissaires-priseurs, de collectionneurs américains qui avaient acheté des Monet un peu vite dans les années 1930 ou 1940.

Aujourd'hui, son petit-fils Thomas applique la même méthode. Et durant des années, Antonin Dechaume avait cherché à savoir qui étaient ses experts.

« Vous ne pourrez pas deviner », avait dit en riant Thomas Wallenstein.

Dechaume y était pourtant parvenu. Il avait compris sans peine que la plus régulière à fréquenter la documentation du musée et à demander à voir des pièces conservées dans la réserve était la personne qui avait le moins l'air d'un expert, cette petite sœur Marie-Jo dont le concierge du musée disait : « Celle-là, toujours en anorak, elle vient avec sa bonne humeur et son carnet de chants. » C'était elle, l'espionne de l'Institut Wallenstein, incorruptible et dévouée à sa mission.

Pour identifier l'expert technique, celui qui devait disposer d'un laboratoire, Dechaume avait longtemps hésité. Il pensait qu'il fallait chercher du côté du Centre de recherches des musées de France. Il avait pensé plutôt à un homme, qu'il imaginait en blouse blanche devant une loupe binoculaire.

Il avait compris très tard, dit-il, le soir même du dernier vernissage, en voyant arriver Carolyne Square, qui avait laissé échapper, à propos de sa fabrique de meubles, « mon laboratoire ». Le mot lui semblait curieux. Il s'était souvenu que c'était Wallenstein qui la lui avait présentée, qu'elle avait donné un bon chèque pour les « American friends » du musée, mais surtout que cette passionnée semblait tout savoir, et ne collectionnait pas.

En se disant que ce ne pouvait être qu'elle, il avait aussi compris qu'il venait de provoquer la rencontre entre ces deux entités complémentaires qui – Wallenstein serait entré dans une rage jupitérienne s'il avait su – ne devaient jamais se connaître.

Pour que les expertises soient parfaites, il importait qu'elles ne communiquent jamais ensemble, qu'elles ne puissent pas s'influencer, et surtout qu'elles ne sachent même pas qui était « l'autre ».

Dechaume avoua à Pénélope qu'il avait compris quand il les avait regardées de loin, se rapprocher l'une de l'autre, se scruter sans en avoir l'air, à la dérobée – et qu'il avait compris qu'elles avaient compris...

Le mal était fait, et après tout était-ce si grave ? L'idée de faire un peu enrager Thomas Wallenstein, avec ses éternels mystères, l'amusait. Elles avaient parlé d'abondance. On ne les avait plus revues.

Impossible de dire si cet homme est en train de mentir ou non. Le montrachet n'aide pas Pénélope à choisir entre les deux hypothèses.

L'histoire est assez invraisemblable pour être vraie – mais Pénélope, en bonne historienne, sait bien que deux chercheurs qui travaillent dans le même domaine finissent toujours par se croiser : archives communes, amis communs qui font des dîners, machine à café de la Bibliothèque nationale, collectionneurs qui souhaitent organiser des confrontations de points de vue… Que Dechaume ne les ait jamais vues ensemble avant ce fameux soir, et qu'aucune des deux n'ait soupçonné l'identité de l'autre, peut-être, mais bon… Pénélope choisit de continuer de faire la gourde, et d'écouter. Carolyne Square a été assassinée le lendemain.

Ce qui excite le vieux Dechaume dans cette histoire, ce qui le fait enrager, c'est de ne pas avoir pu bavarder avec elles. Il avait été obligé, avec Paprika à ses côtés, de jouer son rôle de maître de maison. Il aurait voulu leur soumettre ses idées sur Monet, se passer de l'intermédiaire Wallenstein, profiter de ce que Thomas Wallenstein, retenu à New York, n'avait pas pu être à ce dîner. Il avait même prévu de changer de table au moment du dessert, pour aborder avec elles quelques sujets délicats, sa petite liste des « mystères Monet », en arrosant la tarte aux pommes de calvados.

Dechaume cite à Pénélope les noms de ses collègues d'Orsay : sur Claude Monet on fait les mêmes expos depuis cent ans, Monet et le paysage, Monet et les séries, les meules, les peupliers, les cathédrales, Monet et ses amis impressionnistes, on finira même par faire l'impressionnisme et la mode, avec des ombrelles et des chapeaux dans des vitrines, on n'en peut plus, il serait temps d'inventer autre chose, d'attaquer vraiment le sujet. Il en a, lui, des idées !

Son pire ennemi, c'est celui qu'il couvre de compliments : son ami Kintô, qui dirige Giverny. Comme il ne pouvait se satisfaire de la surveillance des floraisons – l'éclosion des tulipes début mai, l'arrivée progressive des nymphéas sur l'étang, à la longue, on peut se lasser –, il a décidé de faire copier par des « artistes » – à la limite de l'escroquerie prétendait Dechaume – les tableaux que Claude Monet possédait chez lui.

« Dont la plupart sont à Marmottan ! Bien sûr, le visiteur n'est pas trompé, on met à sa disposition une "feuille de salle" grâce à laquelle il est censé comprendre que les tableaux qu'il voit autour du lit ou au-dessus de la commode sont en réalité à Zurich ou à Washington. Mais qui lit vraiment ça ? »

Pénélope fait comme si elle avait vu ces nouveaux aménagements, et s'en veut un peu de ne pas avoir écouté Wandrille. Il faut vraiment qu'ils aillent à Giverny. Elle se souvient d'un article dans *Le Figaro* qui faisait l'éloge de cet accrochage qui restituait l'atmosphère de la maison au temps de l'artiste, quand elle était pleine de chefs-d'œuvre.

« Pour moi, concluait Dechaume, ce sont des visiteurs en moins. Quand les Japonais et les Chinois ont vu Giverny, avec ces clones de tableaux, ils croient qu'ils ont tout vu. Vous pensez qu'ils ont encore envie d'aller chez moi ? Giverny prend des visiteurs à Marmottan, je perds de l'argent... »

4

Paprika met son grain de sel

Paris, vendredi 24 juin 2011

La porte de l'atelier venait de battre, avec fracas. Second tremblement, la porte de la cuisine : une tornade entrait, en jean, ballerines Repetto, pull en cachemire bleu électrique, cheveux blancs coupés court, Paprika Dechaume – qui a l'air plus jeune qu'en robe du soir et colliers. Elle s'assied sur un tabouret, elle éclate de rire : « Alors, on picole sans moi ! »

Antonin, son mari, n'a l'air ni surpris ni même vraiment contrarié. Il se lève, va chercher un verre dans l'armoire paysanne vestige d'un goût « arts et traditions populaires » de 1975.

Pénélope se demande si elle a comme cela l'habitude d'arriver à l'improviste dans l'atelier de son mari. Elle se sent un peu soulagée de voir que la conversation va cesser d'être un tête-à-tête, et qu'elle ne va pas être obligée de finir la bouteille dont le vieux maître n'a pas cessé de la resservir.

Elle se lève, sourit, fait remarquer à cette femme qui a tout d'une épouse jalouse qu'elle a les mêmes ballerines. Parika sourit : « Oh, vous les avez en jaune, c'est original, je ne les avais jamais vues, moi je suis toujours en bleu, je n'y peux rien… »

Pénélope écoute les premiers échanges du vieux couple. Paprika a acheté les journaux.

« Rien sur le crime, dit-elle. Pauvre Carolyne ! Quand je pense qu'on lui a tranché la gorge avec une lame très fine, d'un seul coup, il paraît qu'il faut une dextérité incroyable pour faire ça. Elle ne s'est pas débattue, on a retrouvé ses bras le long du corps. Elle a dû crier, mais c'est une espèce de salle souterraine, avec deux grosses portes. Il n'y avait personne, on ne l'a pas entendue. Elle a dû tellement souffrir. Carolyne ! Elle était avec nous la veille, chez nous, vous vous rendez compte, mademoiselle, on n'a même pas pu lui dire au revoir…

— Paprika, tais-toi, je t'en prie, on cherchait justement à y voir un peu clair. Assieds-toi, ne reste pas perchée comme ça sur l'escabeau. »

Pénélope se dit qu'un Monet ça ne doit pas être si difficile à copier : plus facile de tartiner des nymphéas que de réinventer la lumière de Vermeer ou le *sfumato* de Léonard de Vinci.

Pénélope a sorti son carnet. Elle note. Sans se soucier vraiment de l'irruption de sa femme, Dechaume continue à énumérer ce qui l'intrigue chez son artiste.

Pénélope comprend qu'il ne veut pas parler à sa femme de ce qu'il a découvert, ou plutôt deviné, à propos de ces deux femmes, comme s'il se méfiait. Paprika doit être une pipelette. Pour le moment, elle joue la femme soumise : elle a le petit doigt sous le menton, les lunettes en diadème, elle écoute.

La logique des voyages de Monet à l'étranger par exemple, quand il commence à être un peu riche, échappe aux historiens de l'art, et Dechaume avoue que lui n'y comprend rien. Les biographes le voient uniquement comme un peintre allant chercher l'inspiration.

« Ces voyages du peintre, jamais prévisibles, jamais au moment où on les attendrait ! Pendant la guerre de 1870, il est à Londres, il décide de revenir, mais pas à Paris. On pouvait pourtant avoir besoin de lui... La France vaincue, les Prussiens, ce n'était pas l'époque idéale pour faire du tourisme. Il s'est installé dans un village perdu à une heure d'Amsterdam.

— Qu'est-ce qu'il y a fait ?

— On l'ignore, Pénélope. Clemenceau à l'époque s'engage, avec son journal, *La Justice*, Renoir regarde Paris qui flambe. On ne sait rien de ce séjour en Hollande, sauf qu'un jour, dans une boutique où on emballait de la porcelaine de Delft, il a découvert les estampes du Japon qu'on utilisait pour bourrer les caisses, et ce fut une révélation. Pour l'histoire de l'art, ça va, mais pour l'histoire tout court, c'est court. Il devrait se précipiter en France, sa maison de Louveciennes a été pillée, il a des œuvres détruites, Adolphe Monet, son père, vient de mourir et il faudrait s'occuper de la succession... Lui, il voyage...

— Il voulait fuir tous ces cauchemars, ne vivre que pour la peinture, ce que vous énumérez là c'est le pire

de la vie réelle, on peut comprendre qu'il ait voulu
s'évader...

— J'ai d'abord cru ça, Pénélope, c'est aussi ce que les
biographes ont tous écrit. Mais on a dans les archives
une note du commissaire de police de Zaandam, en
juin 1871, qui signale au commandant des forces de
police de la province l'arrivée de cet homme de trente
et un ans se disant peintre. Pourquoi surveiller Monet,
que personne ne connaît ? Et le commissaire de police
rédige une série de notes sur ce personnage suspect,
comme si on les lui avait demandées en haut lieu... On
ne sait rien. Monet dessine des canaux, des bateaux
hollandais dans ces carnets qui sont chez nous au
musée. Paprika aime les regarder.

— Ses autres voyages sont aussi étranges ?

— Pires ! Au moment où il est encore très pauvre,
où Durand-Ruel son marchand oublie de lui envoyer
ses versements, où Alice est malheureuse à Giverny
dont ils ne sont encore que locataires, il plaque tout
pour s'installer dans l'endroit le plus cher de France,
la Côte d'Azur, en 1884, où il prétend mener une vie
"muette et solitaire". Il peint des palmiers, de jolies
vues des environs de Monaco, mais on ne sait pas
qui il fréquente ni ce qu'il fait là. Il a peint la villa du
richissime Bischoffsheim à Bordighera, grand repaire
de mondains et de diplomates. On a le tableau mais on
ne sait rien.

— Avait-il rencontré le prince de Monaco ? hasarde
Pénélope, tentant de voir si deux morceaux du puzzle
ne pourraient pas s'ajuster.

— Pas à ma connaissance, mais ce n'est pas exclu. Et
il y retourne quatre ans après ! Il retrouve Maupassant,

avec qui il avait sympathisé sur la plage d'Étretat. L'auteur a son yacht, le *Bel-Ami*, il connaît tout le monde et Monet ne connaît personne. Au même moment Renoir est à Aix, chez Cézanne, il se garde bien de signaler à ses vieux amis qu'il est à proximité. Monet envoie une curieuse lettre à Castagnary, le critique qui l'a défendu autrefois et qui vient d'être nommé directeur des Beaux-Arts, l'équivalent de ministre de la Culture, pour avoir, figurez-vous cela, le droit de s'approcher de la citadelle d'Antibes. C'est un site militaire, et toute la zone est interdite. Pourquoi veut-il précisément peindre là ?

— Qu'êtes-vous en train de me dire ? »

Pénélope n'ose pas vraiment comprendre. Elle se demande surtout pourquoi Dechaume s'intéresse à ce point aux activités extra-picturales de Monet, comme si l'artiste avait mené une carrière parallèle.

C'était de cela qu'il parlait avec sœur Marie-Jo – avant qu'elle ne disparaisse. Elle n'avait pas eu le temps visiblement de lui donner toute sa version des faits, le résultat de ses recherches, pour cette biographie qu'elle voulait entreprendre. Elle avait trouvé quelque chose. Cette découverte avait-elle un lien avec le tableau qui est proposé cette semaine par Vernochet à Édouard, le conservateur de Monaco ? Avait-elle eu le temps de faire part de sa découverte à Carolyne Square ? Ce qui n'avait pas pour autant perturbé les soucis de bronzage de celle-ci... Pénélope croit entendre encore cette phrase, dite d'une voix flûtée : « On tue à partir de quel chiffre de nos jours ? La mère supérieure de notre couvent ne nous dit pas tout, vous savez... »

«Laissez-moi poursuivre ma petite liste. Paprika qui connaît toutes mes marottes par cœur va aller nous chercher une autre bouteille dans le cellier, tu veux bien ma chérie? C'est le début d'une période où Monet a un peu plus d'aisance, même s'il n'est pas encore riche. Il offre à Clemenceau son tableau, *Le Bloc*. En juillet 1890, Clemenceau rend visite à son ami à Giverny pour la première fois.

— C'est le moment des cathédrales?

— Les cathédrales, c'est deux ans après, à partir de 1892. Mais là encore, pourquoi Rouen? Il y a tant d'autres cathédrales tellement plus belles: Amiens, Laon, Reims... Toutes sont plus intéressantes du point de vue de l'art, mais il veut semble-t-il passer, seul, des mois entiers à Rouen. Le séjour est devenu mythique. On ne l'explique pas vraiment. Il dit qu'il se rend à Rouen "pour voir son frère", alors qu'en réalité les liens entre Claude et Léon Monet étaient plus que lâches... Il y a des bateaux à Rouen, des visiteurs du monde entier – des Américains? Monet voulait-il retrouver des collectionneurs étrangers? Séduire ces fameux Américains qui collectionnent avec audace? Monet n'est pourtant pas très content quand sa belle-fille Suzanne Hoschedé épouse un Américain, Theodore Butler. Puis il s'accommode de ce pseudo-gendre, il l'entraîne dans des courses en automobile à travers la campagne.

— Vous mélangez un peu tout, c'est assez banal comme schéma... Un Américain lui prend sa fille d'adoption, ça aurait pu être un Hongrois. Et ça n'a pas grand-chose à voir avec les séjours à Rouen. Où voulez-vous en venir ?

— Au mystère Monet. Et celle qui est en train de le résoudre, c'est notre Marie-Jo ! Le voyage suivant ne se justifie pas plus.

— C'est Venise ?

— Sandviken, en Norvège ! Une montagne, le froid qui empêche de tenir les pinceaux, des tempêtes de neige, pas d'horizon, pas une fleur, et il s'y précipite. »

L'hiver 1895 – Dechaume raconte bien, Pénélope est en train de les prendre en affection, Paprika et lui, ce sont des passionnés, comme elle les aime –, il y passe deux mois, à mal peindre. Il n'est pas satisfait, et c'est vrai que ce n'est pas la meilleure période de son catalogue.

Jacques Hoschedé, le fils aîné d'Alice, qui a vingt-quatre ans, s'est installé en Norvège, et on ne sait même pas quel métier il y exerce. Il invite Monet, semble-t-il, on n'en est même pas sûr, et le peintre saisit ce prétexte pour entreprendre ce voyage périlleux, coûteux, sans aucune nécessité. Il aurait pu s'offrir un tour d'Italie, aller voir des paysages nouveaux aux Amériques... Il a préféré la Norvège. Il y rencontre à nouveau des hommes politiques, le prince Eugène de Suède en personne se déplace pour lui rendre visite au Grand Hôtel de Christiana.

Ensuite, comme Pénélope s'en souvenait vaguement, c'est l'épisode vénitien. Dans cette ville qu'il découvre, il ne termine rien, sauf une esquisse de gondole, qu'il offre à Clemenceau, une sorte de clin d'œil.

« Les Monet mènent la belle vie ! C'est leur voyage de noces à soixante ans ! dit Paprika, battant des cils.

— Ils logent au Palazzo Barbaro, la résidence de la famille Curtis, qui accueille toute la bonne société bostonienne, dont bien sûr Henry James et l'ami fidèle de Monet, John Singer Sargent.

— Je vois très bien, dit Pénélope qui a de bons souvenirs vénitiens.

— À Venise, Monet commence par se promener, il ne peint guère, trop de beauté, réaction classique. Henry James a décrit tout cela, la société des Curtis, les élégances sur la lagune. Monet fréquente la princesse de Polignac, Winnaretta Singer, héritière des machines à coudre, qui a acheté, sur la rive d'en face, le palais Contarini, très belle machine à coudre en marbre du XVIe siècle. Il est ébloui par les Tintoret qui couvrent tous les murs à la Scuola San Rocco. Là aussi, cet homme qu'on a dépeint comme ne vivant que pour et par la peinture multiplie les rencontres avec des gens influents, à Venise on croise le monde entier. »

Pénélope se souvient d'une grande fête à la Scuola San Rocco, au milieu des Tintoret, elle rêve un instant à ses aventures d'autrefois – elle va se ranger, le mariage, les enfants, est-ce réellement indispensable ? Sur les liens entre la bonne sœur et l'Américaine, Antonin Dechaume préfère ne pas en dire plus. Pénélope brûle de poser des questions...

« La Scuola San Rocco à Venise c'est un cycle de peinture, dit Pénélope, pour ne pas avoir l'air trop cruche, une œuvre d'art totale.

— Mais vous avez raison, les historiens n'ont pas insisté là-dessus. Les Tintoret de Venise c'est comme ses *Nymphéas*. L'Orangerie, pour l'architecture, est une boîte à chaussures, comme la Scuola San Rocco. Vous êtes brillante, je n'en doutais pas. Il va falloir m'aider à comprendre. Monet sait ce qu'il veut faire. Il est vieux. Il doit rêver d'un monument de peinture comme cet immense cycle de Tintoret à Venise, et justement sa fortune va pouvoir l'aider. Et même la guerre ne met pas fin à cette grande ambition d'artiste. En 1915, vous croyez qu'il économise pour les bonnes œuvres des poilus ? Il fait construire à Giverny un troisième atelier, ce hangar dernier cri avec ses poutres métalliques qu'on appelle "l'atelier des Nymphéas".

— Ah, ne parle pas de Giverny, interrompt sa femme, tu vas encore piquer une colère. Je n'aime pas ça. Vous savez, Pénélope, que l'atelier des Nymphéas sert d'espace de vente aujourd'hui ? Quand Antonin a appris ça, il a été comme fou. Pour nous, c'est un espace sacré. Mais Fujiwara n'a pas les mêmes idées...

— Ah, celui-là ! Maintenant qu'il a fait copier les tableaux du salon, ceux de la chambre, que va-t-il inventer ! De vieilles voitures dans le garage, à vingt euros la promenade ? On en trouve des Panhard-Levassor, il suffirait d'en acheter une, de faire faire un uniforme à boutons dorés pour le chauffeur, et d'embarquer des Japonais en costume de mariage. Il osera, vous verrez, c'est un génie du commerce. Une meule en plastique dans le champ d'en face, qu'on photographiera sous la neige ? Money, Money, Money ! »

5

Le crime de la rue de la Pépinière

Paris, vendredi 24 juin 2011

Le commissaire Wandrille, émule de Maigret, travaille vite et bien. Il remplit des fiches, recopie des dates, note le nom des personnages principaux. Sur le site de la BnF, il a entrepris une revue de presse de l'année 1908. Ce qui prenait autrefois une semaine de recherches peut se faire, de chez soi, en vingt minutes.

Péné va être contente. L'affaire de la rue de la Pépinière est croustillante. Un vrai roman, qu'il commence à écrire, pour lui seul, dans un de ses carnets de moleskine. Le piano s'est tu : le voisin du dessus est descendu... Ce serait lui, alors, le mélomane ?

Quand Pénélope ne veut rien comprendre, elle ne comprend rien. Elle s'est installée dans le canapé. Wandrille commence à lui raconter cette histoire de meurtre et de maison du crime, avec des placards et un cadavre, et elle ne cesse de l'interrompre pour qu'il réexplique.

Et pendant qu'il réexplique, elle feuillette les magazines qui racontent les préparatifs du mariage princier. Elle étudie Monaco.

Lui, il estime qu'il vient de trouver à propos de Claude Monet une aventure sanglante et méconnue qui mériterait qu'elle s'y intéresse un peu plus. Mais Pénélope est épuisée.

Toute la presse a parlé de l'affaire. Alice Monet, qui était si fière de sa famille, les Raingo, a vu son nom sali.

« Ils faisaient quoi ces Raingo ? Des artistes ? Tu as vu les photos de Charlène dans *Elle*, tu la trouves jolie ? Regarde, des boutons de manchettes avec le prince et elle !

— Écoute-moi. Les Raingo avaient d'abord vendu des pendules, puis des pendules surmontées par des bronzes, puis des sculptures sans pendules. Ils étaient devenus marchands d'art. Le premier mari d'Alice, Ernest Hoschedé, c'était un peu la même chose : il avait commencé à acheter des tableaux et des meubles, elle encourageait son goût moderne, l'ascension sociale était en bonne voie. Les deux familles étaient bien assorties.

— Le pire mariage qui soit ! Heureusement que Monet a déboulé. Mais ça n'est pas du tout l'affaire de la rue de la Pépinière !

— Écoute-moi. Il est de bons mariages, il n'en est pas de délicieux.

— Tu n'as pas plus nouveau ?

— Imagine qu'avec l'affaire de la Pépinière la majestueuse Alice qui, face au pauvre Claude Monet, héritait d'une famille bourgeoise et fortunée, se retrouve traînée dans la boue – et comme Monet est un bon garçon, on peut imaginer que ça lui a fait de la peine pour sa femme. »

Pénélope écoute un peu mieux. Elle repose *Elle*. Le mari d'une des sœurs d'Alice, la plus austère, un honorable agent de change que les habitués de la Bourse connaissent tous et qui gère les biens de la famille Raingo, Auguste Rémy, soixante-dix-sept ans, a été retrouvé mort chez lui, 25, rue de la Pépinière, le matin de la Pentecôte.

La nouvelle a été télégraphiée à Giverny, et à la tristesse s'était mêlée une pointe de soulagement. Le couple harmonieux et ennuyeux des Rémy-Raingo avait toujours fait la morale au ménage recomposé d'Alice et de Claude.

Les Rémy jouaient les familles exemplaires, c'était le grand repère moral d'Alice, son point fixe, sa protection aussi : ils les avaient beaucoup aidés dans les temps difficiles.

Pénélope se demande si Wandrille n'est pas en train de lui servir une parabole sur le mariage… Elle prend le nouveau *Jardins Jardins*, mais continue d'écouter.

Quand Hoschedé, le premier mari d'Alice, avait connu des difficultés dans ses affaires, Auguste Rémy avait protégé sa belle-sœur de la faillite maritale – faute de lui épargner la faillite matrimoniale. Il lui avait versé une petite somme régulière, pour qu'elle puisse maintenir un peu son train de vie, sans être obligée de devenir couturière, ou pire encore. Pénélope prend un air absent.

Hoschedé ruiné avait dû vendre leur château, ses collections d'art, mais Alice avait toujours eu de quoi vivre. C'est l'époque où elle s'était installée dans une maison à Vétheuil, en bordure de la route, avec les enfants, mais aussi, en plus d'Hoschedé, ce peintre nommé Monet qu'on avait longtemps fait passer pour un ami du ménage...

À table, chez les Rémy, on avait commencé à en parler un peu quand les expositions de Claude avaient eu enfin du succès, mais pendant longtemps, Wandrille l'imaginait très bien, ç'avait été le sujet tabou.

Alice s'affiche avec un peintre, comment ont-ils pu faire cette sorte de ménage à trois ? Alice a trompé son mari, installé son amant, un croûtard refusé au Salon, sous le toit familial, Alice leur a fait honte à tous. Et ce Monet, il était marié lui aussi à l'époque, c'était un ménage à quatre...

Alice a enduré tous ces reproches, comme une héroïne de Maupassant dit Wandrille – qui se réjouit à l'idée de montrer à Pénélope qu'il a des lettres –, elle n'en a pas parlé avec Monet, parce qu'elle n'avait pas le choix : sa sœur était leur seule chance d'avoir de temps en temps un peu d'argent...

Pénélope interrompt :

« Mais ces Rémy, c'étaient des proches des Monet, ils se fréquentaient ?

— Je te raconte la suite, c'est sanglant. »

Les Rémy étaient inscrits dans le bottin du Tout-Paris, ils rêvaient du grand monde en feuilletant ce gros volume qui contenait les noms de tout ce qui compte. Wandrille en a trouvé un exemplaire en ligne sur le site de la BnF. L'agent de change Rémy devait avoir un genre plutôt sévère lui aussi. On n'a pas de photo de lui, Wandrille n'a rien trouvé. Il aide sa belle-sœur Alice par devoir, en bon chrétien. Mais il trouve qu'elle exagère, cette Alice qu'il faut renflouer parce que ni son mari ni son amant ne sont capables de faire d'elle une dame respectable. Si elle avait épousé un de ses confrères de la Bourse, elle pourrait les recevoir chez elle avec les enfants. Au lieu de cela... cette Alice vit dans une sorte de ferme où les Rémy ne veulent jamais venir, alors qu'eux ont ce bel hôtel, rue de la Pépinière, avec un majordome et des domestiques.

À chaque retour de Paris, Alice accable le pauvre Monet en lui décrivant les splendeurs des Rémy.

Tout va se retourner. Wandrille ménage son effet. Pénélope le laisse faire.

La famille a pris le deuil, sauf Claude Monet, qui pour rien au monde ne s'habillerait en noir. Il troque sa veste verte en velours contre un costume gris, et ne dit rien.

À Saint-Augustin, on a célébré les funérailles du vieux Rémy. Wandrille a retrouvé un émouvant compte rendu. Monet et Alice y sont venus, avec les autres membres de la famille. C'est un enterrement élégant : on y aperçoit le baron de Segonzac, M. Frédéric Masson, de l'Académie française, les Deutsch de la Meurthe...

La vérité que la famille voulait taire éclate dans *Le Petit Parisien* : le corps du bon M. Rémy portait des coups de couteau, la police a conclu au meurtre.

Pire encore : le couple modèle s'était disputé le matin même, disent les voisins, alertés par des cris et des pleurs. La sœur d'Alice était partie dans leur château de l'Oise – car les Rémy avaient leur château, comme naguère les Hoschedé.

« Elle au moins n'est pas coupable. Elle n'a pas pu tuer son mari.

— Bonne déduction, Péné.

— Et les autres suspects, qui sont-ils ? Ils avaient des enfants dans cette jolie maison ? »

Wandrille a préparé ses fiches. Dans la belle maison de Paris, dont Monet raillait toujours le « petit goût », avec des bouquets barbouillés au pastel aux murs, et des gravures encadrées dans le style du XVIIIᵉ, à côté de la gare Saint-Lazare, habitaient aussi leur fils Georges et deux neveux orphelins, Léon et Suzanne. Les domestiques et un terrible maître d'hôtel, pointilleux, haï des bonnes et des cuisinières, étaient partis la veille du meurtre, parce que c'était fête. Il n'y avait personne quand on a assassiné Rémy. L'enquête aurait dû s'arrêter là.

Peu après, coup de tonnerre, le maître d'hôtel qui terrifiait les bonnes, Pierre Carré, est arrêté. Une jeune femme qui habite le quartier est allée déposer une lettre au commissariat. Ce Pierre Carré a quarante-huit ans, belle allure, il est très pieux, catholique rigoureux, très estimé dans son métier, il a une femme et deux garçons de douze et cinq ans. La lettre l'accable. Elle est adressée à Léon, le neveu de seize ans, c'est une lettre passionnée qui se termine par cette phrase : « Maintenant que le vieux est mort, mon Léon, personne ne nous séparera plus. »

Carré finit par avouer après un long interrogatoire qu'il organisait dans l'hôtel particulier des « débauches spéciales », avec Léon Raingo.

Ce petit Léon, convoqué au commissariat, passe alors lui aussi aux aveux : Carré avait pour lui « des sentiments d'une tendresse suspecte ». Léon était un adolescent qui avait du succès. Esprit éclectique, il avait noué aussi une idylle avec une grisette, croisée devant la gare. Elle lui faisait les poches. C'est elle qui a trouvé la lettre de Carré. Elle est allée la donner à la justice.

L'enquête s'est alors emballée.

« On sait ce qu'en a pensé Monet ?

— Non, je n'ai rien trouvé là-dessus. »

Alice a dû vivre au rythme des révélations, par les missives de sa pauvre sœur, mais aussi par les journaux, tous ces papiers que Wandrille a retrouvés...

Monet avait décidé, en plein cœur de cette affaire, alors que *Le Petit Parisien* avait détaillé la reconstitution du crime, les confrontations des uns et des autres, le procès jour par jour, d'emmener sa chère Alice, cette forte femme que rien jusqu'alors n'avait pu abattre, passer avec lui quelque temps à Venise.

« Et toi Wandrille, tu as prévu de m'emmener où demain matin pour oublier tout cela ? Cette affaire de la rue de la Pépinière ne nous mènera nulle part. Je ne vois pas le rapport avec notre crime. Si on partait ?

— Tu as vraiment des envies de voyage de noces ? Tu connais ma doctrine en la matière depuis long-temps : tout sauf Venise. Tu crois que tu m'as fait mener toutes ces recherches pour rien ? Une fausse piste, la rue de la Pépinière ? »

6

La prisonnière de Monaco

Monaco, vendredi 24 juin 2011

Elle a les mains attachées dans le dos. On l'a allongée sur une paillasse. On lui a pris son téléphone et ses chaussures. Elle ne cherche même pas à se débattre et se doute bien que ses cris ne pourront attirer personne : sœur Marie-Jo, prisonnière, sait qu'elle ne sera pas libérée avant plusieurs jours. Si on la libère...

Son geôlier est déjà venu trois fois, lui donner de l'eau et la forcer à manger des boîtes de thon. Il ne répond pas aux questions qu'elle pose. Elle n'a pas compris où elle se trouvait. L'entrée avait l'air d'être celle du casino, mais il avait fallu monter cet escalier en colimaçon, avant d'arriver dans cette pièce sans fenêtre.

Pour passer le temps, elle occupe son esprit. Elle ne veut pas céder à la peur. Elle a un livre à écrire. Elle se demande comment il faudra raconter la vérité

sur ce qui s'est passé rue de la Pépinière. Il ne faudra
rien cacher de la liaison entre le maître d'hôtel et Léon.

Le vieil agent de change Rémy avait-il compris ce qui
se passait entre son majordome, l'impeccable Pierre
Carré, et son neveu ? Voulait-il les éloigner l'un de
l'autre ? En avait-il parlé avec sa femme, et leur dispute
portait-elle sur la révélation de cette liaison ? Alice n'en
savait sans doute rien, et n'avait pas dû oser écrire à sa
sœur pour poser ces questions.

Alice Monet, en découvrant tout cela dans le journal
du matin, assise devant son bol de café dans sa cuisine de
Giverny, manquait sans doute de se trouver mal chaque
fois. Claude Monet lui-même commençait à ne plus rire.

Alice avait fini par ne plus sortir de sa chambre.

Alice a craint sans doute que cela ne devienne une
petite affaire Dreyfus. La province même en parlait.
Il y avait les carrétistes et les anti-carrétistes. Est-ce à
cause de ses «mœurs» que Carré avait été tout de suite
vu comme un coupable – comme on accusait Dreyfus
parce qu'il était juif ?

Au procès, pour plaider le crime passionnel, Marie-Jo
a lu tous les comptes rendus de prétoire publiés dès le
lendemain, il a fallu que l'avocat raconte l'affaire en
plaçant dans le rôle de Léon une jeune fille innocente.

Cette inversion des sexes au milieu de sa plaidoirie
avait eu beaucoup de succès dans les journaux. Il avait
dit aux jurés que si cet homme avait aimé une jeune fille
au lieu d'un jeune homme, ils lui accorderaient tous les
circonstances atténuantes qui sont la récompense du
crime passionnel. Sœur Marie-Jo imaginait ce qui s'était
dit dans la cuisine jaune de Giverny. Monet, avec ses

idées larges, tombait sûrement d'accord avec l'avocat, Alice pleurait de plus belle.

Alice resta durant ces mois plongée dans une neurasthénie profonde. On lui apportait des repas sur un plateau auxquels elle touchait à peine. Elle se procurait *Le Matin*, qui attaquait Carré, *Le Figaro* qui jetait sur tout cela un voile faussement pudique et racontait tout, et *l'Humanité* de Jaurès, dénonçant un procès inique, instruit uniquement à charge, au cours duquel Pierre Carré, qui risque sa tête, n'a même pas la possibilité de se défendre : condamné sans être entendu.

Sœur Marie-Jo se dit que cette histoire ferait un bon roman. Elle brode un peu. Son geôlier ne viendra sans doute que ce soir. Elle se demande si sa disparition a déjà été signalée. On doit s'inquiéter à Picpus.

Elle se sent blessée, comme Alice Monet sur son lit. Elle aurait voulu que toute cette histoire n'ait pas eu lieu. Où mènent les recherches en bibliothèque, quelquefois...

Elle racontera dans son livre la fin de ce procès à rebondissements : le maître d'hôtel Carré condamné aux travaux forcés à perpétuité, à l'île de Ré, puis à Saint-Laurent-du-Maroni, en Guyane. Sa femme désespérée et ses enfants avaient dû partir vivre aux États-Unis, pour fuir à jamais l'opprobre du bagne. Ils n'ont jamais revu le condamné. Le président du tribunal n'avait à l'évidence pas été impartial, *l'Humanité* en avait donné un récit à faire frémir. Et sœur Marie-Jo considère que *l'Humanité* est une source plus fiable que *Le Figaro*. Carré avait-il tué Rémy ? Que savait Rémy ? Sa femme avait-elle deviné quelque chose ?

Que savait vraiment Monet ? Chose étrange, il a fait verser une pension pendant des années à la famille de Pierre Carré – comme s'il avait eu à cœur de les dédommager... Mais de quoi au juste ?

Le petit Léon s'est marié avec une jeune héritière quelques années plus tard, au grand soulagement de toute sa parentèle.

Marie-Jo se demande surtout pourquoi Antonin Dechaume était à ce point passionné quand il avait vu qu'elle orientait ses recherches vers ce fait divers oublié. Elle avait pris le train pour Monaco, sur un coup de tête, elle avait fait confiance à un inconnu. La photo du tableau dans l'atelier, qu'il voulait qu'elle authentifie, lui semblait étrange, un peu trop belle.

Pourquoi celui qui la tient prisonnière lui a-t-il demandé en lui donnant à boire tout à l'heure si elle avait pu préciser un peu «l'affaire de la Pépinière»...

Il s'y prend mal, des cordes et des boîtes de thon, ce n'est vraiment pas ce qu'il y a de mieux comme arguments pour l'inciter à se confier.

7

À Giverny, en été

Giverny, samedi 25 juin 2011

« Giverny, j'ai toujours eu peur que ça soit un peu kitsch, style calendrier des postes, une fleur par mois, avec des petits chats dans les allées. Quand j'étais à Versailles, tout le monde en parlait là-bas...

— M'étonne pas, ça ressemble, c'est le hameau de Marie-Antoinette de l'impressionnisme... »

Pénélope aime les formules de Wandrille. Il met dans le mille, surtout sur les sujets qu'il ne connaît presque pas – un grand journaliste, l'homme qu'elle a choisi.

Tous les vieux conservateurs de Versailles se souvenaient avec nostalgie d'avoir été invités à Giverny, à l'époque des splendeurs. Le grand patron du château, un mythe, Gérald Van der Kemp, s'était retiré dans la maison de Monet où il avait fini sa carrière, et il y avait appliqué les mêmes recettes fastueuses et festives qu'à Trianon. C'était un génie de la restitution des états historiques. Il adorait recréer des atmosphères là où il n'y a plus rien. Son Giverny était son chef-d'œuvre. Il avait reconstitué des images, mais aussi des parfums.

Pénélope savait, avant de venir, ce qu'on ne dit pas aux touristes : il faut se promener dans le jardin de Monet les yeux fermés. Marcher à petits pas dans les allées comme le peintre devenant aveugle peu à peu, pour s'orienter parmi les odeurs, dans un autre univers, hors du monde réel.

Pénélope avait tout lu sur cette reconstitution exemplaire – elle qui avant d'y être allée connaissait en réalité Venise bien mieux que la plupart de ses collègues. Pour Giverny, c'est pareil. Wandrille le lui dit souvent, avec un sourire entendu : « Toi, tu es une livresque ! »

Elle explique tout à Wandrille, et au pompiste de La Roche-Guyon qui admire la petite MG – Pénélope aime parler dans les stations-service. Giverny, c'est un exemple extrême dans les musées français : tout est faux, d'ailleurs ça ne s'appelle pas musée mais « maison », et tout est plus que vrai.

Dès l'entrée du village, ils ont vu qu'on s'y sentait bien. Sous le soleil, les maisons avaient des couleurs chaudes, les crépis étaient à point, un air de bonne cuisine française traversait l'atmosphère.

Pour bien connaître Monet, cet homme affable, sympathique, bedonnant, passionné, qui aimait sa famille, ses arbres et ses plantations, c'est sans doute là qu'il faut aller d'abord – pour avoir l'illusion de le rencontrer. Wandrille gare la MG devant l'église. Dans la rue, d'instinct, ils se donnent la main. Giverny rend heureux.

Quand Michel Monet a légué la fameuse maison de son père à l'Académie des beaux-arts, elle était fermée et vide – nul n'avait envie de la visiter. Le village était en déclin, avec des panneaux « à vendre », des façades rongées de lierre et des volets en morceaux.

Plus personne de la famille Monet n'y venait. Les jardiniers avaient été licenciés depuis longtemps. Michel Monet avait accroché les chefs-d'œuvre de son père vénéré dans une jolie maison plus moderne et mieux chauffée qu'il possédait aux environs. Les tableaux voisinaient avec les trophées de ses safaris africains, sa passion à lui.

L'humidité prenait dans les murs de la maison abandonnée qui avait été celle d'Alice et de Claude, les plafonds tombaient, le bassin aux nymphéas n'était plus qu'un souvenir. Il avait joué son rôle, Monet y avait médité son cycle de l'Orangerie, il ne servait plus à rien. Au moment de la donation, on avait mis à l'honneur, au musée Marmottan, les tableaux, parce que c'était inestimable ; la vieille baraque et son jardin étaient restés une coquille vide dont personne ne voyait l'intérêt.

La suite de l'histoire, Pénélope la savait par cœur, depuis qu'elle était passée par la conservation du château de Versailles.

Gérald Van der Kemp, qu'on surnommait « le Conservateur-Soleil », avait ressuscité Versailles. Là-bas, c'est lui qui avait tout sauvé, fait venir les mécènes américains, engagé les restitutions, retrouvé tant de meubles éparpillés : la télévision avait filmé la manière dont il avait fait retisser les soieries de la chambre de Marie-Antoinette, puis les grands rideaux rouges brodés d'or et d'argent de la chambre de Louis XIV, il avait redonné des lustres et des torchères à la galerie des Glaces, et grâce à son opiniâtreté Versailles était redevenu à la mode.

«Je vois, fait Wandrille, il a importé son goût des kitschouilleries à Giverny, je comprends mieux.

— Tais-toi! Laisse-moi finir.»

Sa femme, Florence, Américaine élégante, avait reçu dans le palais des rois tout ce qui comptait, du cinéma à la banque, de la politique à l'olympisme, le baron de Redé y croisait le vainqueur autoproclamé de l'Annapurna, la duchesse de Windsor rêvait de dormir dans le baldaquin de la reine. Surtout, l'argent affluait, les mécènes se disputaient l'honneur de voir leurs noms écrits dans les appartements royaux, les artisans soyeux huilaient à nouveau leurs métiers – et Van der Kemp, au milieu de ce triomphe, avait dû partir à la retraite, amer, furieux, fantôme du temps du général de Gaulle et d'une certaine idée de la France – proclamant partout qu'il était chassé par la modernité triomphante des années Giscard d'Estaing. En réalité, il avait simplement l'âge de partir à la retraite et l'administration n'avait commis aucune injustice – elle avait juste fait l'erreur de ne pas comprendre que ce vieux monsieur était très jeune.

C'est alors que l'idée de Giverny était née. Membre de l'Académie des beaux-arts, il avait accepté le poste de directeur de cette maison de campagne abandonnée – et là, seconde jeunesse, il s'était installé au soleil avec un panama et une canne à pommeau d'argent.

Il avait invité ses amis chiliens, américains, anglais à essayer ses nouveaux sécateurs: il leur parla de

Monet et de ce lieu en déshérence. Ensuite étaient venus les Rothschild, les Rockefeller, les David-Weill, l'impératrice d'Iran et Grace, princesse de Monaco, Giverny était relancé. À partir de 1975, il reconstitua tout avec un souci du détail digne d'une demeure du XVIIIᵉ siècle. Là où il ne restait rien, il inventa. D'où les jolis bâtiments de la ferme voisine, qu'il aménagea pour sa femme et lui, avec une maison pour le jardinier – qui allait devenir une légende vivante parmi les propriétaires de jardins historiques – et ses adjoints : le domaine fut « restauré » comme un tableau. Classé monument historique dès 1976, Giverny n'a ouvert au public qu'en 1980. Avant cette date, cela n'existait pas, aucun admirateur de l'impressionnisme ne savait même qu'il y avait une maison de Monet. Aujourd'hui, c'est La Mecque.

« C'est pas bête ce que tu dis. Avec son côté vieille France ton conservateur avait compris avant tout le monde une chose essentielle concernant Monet...

— Et que toi, Wandrille de *Jardins Jardins*, qui pourtant, en vrai journaliste d'investigation et de terrain, n'as jamais eu l'idée de te rendre à Giverny, tu as comprise aussi, et que tu vas me révéler...

— Oui, c'est tout bêtement que Giverny est une œuvre archimoderne, un geste artistique provocant, une création du vieux Monet qui, dans les années 1900, s'était lassé des paysages impressionnistes qu'il avait mis au point trente ans auparavant... Il ne voulait pas rabâcher, il avait envie d'inventer autre chose. Il a balancé ses pinceaux, ses tubes et ses godets, il a acheté des gants et du terreau et il a inventé avant tout le monde le land art. Il a fait de sa cambrousse une vraie œuvre du XXᵉ siècle, un concept. »

Pénélope est encore, après tant d'années, bluffée par Wandrille.

Wandrille aime écouter Pénélope quand elle se lance comme aujourd'hui dans ses grands récits. Elle s'anime, elle brille, elle se moque de tout.

« Tu aimerais qu'on se marie à Giverny ?

— Il y a la jolie église, Sainte-Radegonde, si un jour on doit chercher des prénoms, avec dans le cimetière qui l'entoure les tombeaux de la famille Monet et de la famille Hoschedé, tous enterrés ensemble, une famille moderne, et, pas loin, ceux de la famille Van der Kemp, les deux maisons souveraines qui ont régné là. On conserve même à l'intérieur le corbillard qui emmena le peintre à sa dernière demeure, celui dont Clemenceau écarta le drap funèbre en disant "pas de noir pour Monet", à ce que raconte Sacha Guitry qui était présent...

— C'est gai ! Ça me plaît cette histoire.

— Clemenceau, sans hésiter, a pris sur la table de la cuisine une nappe de cretonne à fleurs, celle qui était toujours là, il l'a mise lui-même sur le cercueil, et Monet est parti enroulé dans sa nappe. On ne l'a pas retirée au cimetière, elle est descendue dans son caveau, on a jeté la terre dessus. Il avait interdit les fleurs, pour qu'on ne dévaste pas son jardin en l'honneur de ses funérailles, il aura eu pour son dernier voyage les fleurettes de sa nappe de cuisine, et tous ceux qui ont raconté cela ont trouvé que c'était beau... »

Ici la boucherie, la boulangerie, le bistrot sont devenus des galeries qui vendent des croûtes avec en

vitrine dans l'une d'elles cette magnifique inscription
« médaille de vermeil – artiste peintre impressionniste –
juin 2010 » –, il était temps ! Une boutique spécialisée
dans le savon parfumé – le meilleur rapport entre
le coût de production et le prix de vente – s'intitule
« Autour du savon ». Ici, le gogo, on le voit venir.

Ils se sont installés devant l'hôtel Baudy, qui dispose
des tables dehors, pour prendre un café. Deux ou
trois couples sont déjà assis, un visiteur isolé, au fond,
regarde le champ voisin. Les premiers cars de touristes
ne sont pas encore là.

« Et tu leur as raconté quoi à tes collègues du
Mobilier national, qu'après Monaco, tu avais besoin
d'une journée à la campagne ?

— J'ai appelé la secrétaire ce matin pour dire que
j'avais la crève depuis trois jours, elle m'a dit de rester
bien au chaud, je réapparaîtrai lundi avec une écharpe
et tout le monde sera très gentil avec moi...

— Étrange ce que tu as appris chez Dechaume.
Et sa femme, il faut qu'elle soit jalouse pour débouler
comme ça...

— Elle est d'une éternelle jeunesse, elle fait du sport,
elle danse, je l'ai trouvée sympathique, je n'avais pas
l'intention de lui voler son mari, tu sais... J'espère
bien être comme ça à son âge, une lionne. Je ne sais
pas ce qu'il a cherché à me dire. Il pense que Monet
s'est enrichi considérablement, et qu'il ne le devait pas
qu'à sa peinture.

— C'est fou, le plus grand peintre français n'aurait
peint que pour couvrir ses vraies activités...

— Reste à savoir ce qu'il faisait.

— Trafic de boutons de roses ? Oignons de tulipes ?

— La spéculation sur les tulipes, c'était au XVIIᵉ siècle. Monet laissait de grosses sommes chez Truffaut, mais pas à ce point-là...

— Truffaut existait déjà ? Le magasin de plantes de Tolbiac ? C'est bien une chaîne de grands magasins de plantes vertes, c'est ça ?

— À l'époque c'est Georges Truffaut, le pépiniériste, le créateur de l'entreprise, qui descend d'un Truffaut qui était déjà jardinier à Trianon.

— Mais tu es incollable sur le jardinage, ma petite Péné, je vais te donner une chronique historique régulière ! »

Wandrille envisage, avec méthode, plusieurs possibilités. Claude Monet se déplace, beaucoup, presque toujours seul. Ses voyages n'obéissent en apparence à aucune logique. Il peint par crises, il brosse ses toiles plutôt vite – entre-temps, que fait-il ? Qu'est-ce qui l'attire à Monaco, à Londres, à Rouen, à Venise, au fin fond de la Norvège ?

Antonin Dechaume a peut-être lancé Pénélope sur cette piste pour qu'elle fasse éclater elle-même un scandale que lui ne peut pas exposer au grand jour : un Monet un peu escroc, affairiste, maniant des paquets d'actions... Trafique-t-il des diamants, de l'or, de la fausse monnaie ?

« Tu crois que les diamants sont encore cachés quelque part à Giverny ? Dans une poutre, dans le moulin à café ? Ça expliquerait l'intrusion de l'autre nuit, la veille de la disparition des deux femmes à Marmottan... »

C'est alors qu'ils ont entendu une voix suraiguë, désagréable et saccadée. Un petit homme en imperméable noir, celui qui était assis le plus loin d'eux et leur tournait le dos, élevait le ton. Il massacrait la malheureuse serveuse qui n'était pas arrivée assez vite.

«On vous a gardée, vous êtes la pire. Quand on travaille comme ça, chez moi on est renvoyé. Si au moins vous étiez jolie. Tournez-vous, même pas, allez, ma pauvre fille, dégagez.»

Wandrille, qui ne supporte pas qu'on parle mal aux serveuses dans les restaurants, d'un mouvement chevaleresque, veut intervenir.

Pénélope qui le connaît par cœur l'arrête en posant sa main sur son bras. L'homme vient de se taire, de se retourner, elle a vu son visage, elle chuchote :

«Celui qui s'énerve, c'est l'homme qui, à Paris, jouit d'une réputation inégalée de zénitude et de bienveillance, l'incarnation de la sagesse japonaise, le maître de ces lieux, Kintô Fujiwara. Il a accueilli ici même voici quelques mois l'empereur du Japon, le fils du Ciel. Ce n'est pas lui que tu es venu voir ?»

Car cette fois, c'est Wandrille qui a pris l'initiative. Il a téléphoné en se présentant comme le rédacteur en chef de *Jardins Jardins*, Fujiwara a accepté bien sûr de le recevoir et de tout leur montrer. Wandrille a même annoncé qu'il viendrait avec une de ses journalistes qui ferait un premier repérage photo. Le vieux sage ne les attend que dans vingt minutes. Ils le regardent partir en vociférant. Les gens ne sont pas toujours ce qu'on croit – mais ce n'est pas une raison pour faire de lui un suspect.

8

Pourquoi il n'est pas si facile
d'enlever un bureau à cylindre

Giverny, samedi 25 juin 2011

Vingt minutes plus tard, c'est le grand Kintô Fujiwara, le maître des nuages, qui les accueille à l'entrée – pour leur éviter d'attendre avec les visiteurs, signe d'une exquise politesse. Son visage est désormais marqué par une paix intérieure admirable et il arbore la veste en velours côtelé qui suggère un amoureux de la nature et des jardins. Un sécateur dépasse d'une poche de côté.

Pénélope est fascinée par la visite de la maison. Dans le salon-atelier du rez-de-chaussée, elle s'empare de la feuille qui est mise à la disposition des visiteurs et joue à repérer, parmi les copies qui couvrent les murs, des Monet qu'elle connaît : la cathédrale de Rouen qu'elle a aperçue au musée Marmottan, des nymphéas, des tableaux qu'elle n'a jamais vus en vrai, qui sont à

Washington ou à Cleveland. C'est l'univers de Monet avant le big bang du marché de l'art, quand tous les chefs-d'œuvre étaient concentrés dans ce noyau en fusion, dense et lourd, avant de partir aux extrémités de l'univers. Une photographie encadrée, en évidence sur une console, montre Monet debout, dans cette pièce, cigarette au coin des lèvres, épanoui. C'est à partir de ce cliché et de quelques autres qu'on a pu restituer l'accrochage des répliques.

« Mais le grand tableau du fond, ce n'est pas le même... Sur la photo ce sont des nymphéas...

— Oui, explique Fujiwara, en s'inclinant un peu, je vois que le rédacteur en chef du grand magazine des jardins aime aussi la peinture. Vous avez raison, il y avait là *Nymphéas bleus*, c'est celui pour lequel l'autorisation de faire une réplique ne nous a pas été donnée par le collectionneur, il n'y a rien eu à faire. Du coup on a mis ces femmes en barque, *En canot sur l'Epte*, c'est le titre, du musée Assis de Chateaubriand de São Paulo, parce qu'il avait à peu près les mêmes dimensions et les mêmes teintes. À Versailles, on dirait que c'est "un équivalent", j'en ai beaucoup parlé avec mon amie Béatrix, la directrice des collections du château : quand on place une commode de Marie-Antoinette à Saint-Cloud entre deux fenêtres dans ses appartements, parce qu'on ne peut pas copier la vraie commode qui est en Angleterre. Et puis, à Versailles, on ne fait pas de copies...

— Copier un Monet c'est plus facile que copier un meuble du XVIIIe siècle.

— Vous avez bien raison, mademoiselle. Le procédé utilisé ici est très simple, c'est la galerie Troubetskoy qui nous a fait ça, ils sont spécialisés dans la copie des tableaux anciens. On imprègne une vraie toile avec des pigments colorés à partir de la projection d'une photo, aux dimensions, puis un artiste finit à la main. Ce n'est pas si mal, je trouve, n'est-ce pas ? Et puis ça donne un honnête métier aux étudiants qui sortent des Beaux-Arts...»

Décidément, cet homme est capable de cruautés. À l'étage, dans la chambre de Monet, tendue de drap blanc, comme à l'époque, les œuvres ont été accrochées il y a peu, selon le même principe. Les amis, Caillebotte, Renoir, Jongkind, mais aussi les grands inspirateurs, deux aquarelles de bord de mer de Delacroix, un Boudin, un Manet – et la suite de l'aventure, avec Signac... C'est le musée personnel de l'artiste, autour de son lit. Devant la grande fenêtre, son bureau à cylindre, digne d'un château.

Dans le jardin de Giverny, Fujiwara a réintroduit les poules, en particulier les faisanes japonaises offertes par Clemenceau, après lesquelles Alice Monet courait quand elles s'échappaient – et même un coq qui, comme tous ses semblables, croit que le soleil se lève parce qu'il chante.

Il éclate de rire : «Pour les poules et pour les fleurs aussi, nous avons dû remplacer les originaux par des équivalents ! Je vais vous montrer les serres, c'est là que tout se prépare, j'ai les meilleurs jardiniers du monde ici, des artistes...»

Wandrille prend très à cœur son travail, il note les réponses du maître sur son calepin, mais évite les questions que Pénélope veut poser, qui éveilleraient l'attention : «Avez-vous beaucoup de bonnes sœurs parmi vos visiteurs ? », «Connaissez-vous des milliardaires américaines engagées dans la fabrication de meubles écologiques ? » et autres «Vous détestez vraiment Antonin Dechaume, parce qu'il dit de son côté beaucoup de mal de vous, et sa Paprika de femme pire encore, non ? ».

La torture a commencé pour Wandrille devant les premiers massifs : Fujiwara, sentant bien qu'il a devant lui le pape de la grande presse jardinière, déclenche le quiz floral. Wandrille, qui commence par confondre azalées et rhododendrons, s'embrouille au sujet des pavots avant d'être interrogé sur le début des iris, plus tardifs cette année – il confirme, sourcil froncé. Il élude de justesse une demande de conseils au sujet des delphiniums et se rattrape en admirant les glycines, qu'il a su reconnaître. Il ne va pas falloir que ça dure trop longtemps. Il murmure que tout est une question d'ensoleillement et que le résultat ici est ce qu'il a pu voir de plus beau en Europe.

Très concentré, tandis que Pénélope photographie, il articule des questions pour faire diversion en regardant bien en face le vieux Fujiwara, qui est un peu sourd :

«Avec Clemenceau, comment s'étaient-ils connus ?

— Au temps de la vache enragée, vous dites ça en français, j'aime beaucoup. Clemenceau était étudiant en médecine et Monet gâchait des toiles, sans arriver à rien. Ils avaient un ami en commun, un journaliste, qui les avait fait se rencontrer dans une brasserie de la rue des Martyrs. C'est le petit monde des républicains qui haïssent Napoléon III et veulent tous être Victor Hugo ou rien. »

Kintô Fujiwara parle ce français littéraire qu'on enseigne si bien à l'université de Tokyo et il articule à la perfection.

La journée de Kintô est chargée, il n'a plus qu'une dizaine de minutes à consacrer à Pénélope et Wandrille. Le groupe qu'il doit accueillir ce matin en personne est un groupe de compatriotes, ils représentent les amis de la maison de Monet de Kitagawa, dont certains sont ses amis d'enfance, sa vraie famille, lui qui est le Monet du Soleil levant.

« Mais avant j'ai une corvée qui m'attend. Le directeur des collections du Mobilier national vient en personne. Vous savez, cet endroit où on garde les meubles qui appartiennent à la France et où on continue à faire des tapisseries, je ne sais pas si vous connaissez...

— Vaguement, fait Pénélope, vaguement inquiète.

— Ils emploient des tisserands qui travaillent à l'ancienne, mais ils leur donnent des modèles contemporains. Il y en a un qui est devenu fou, dit-on, après avoir tissé un Soulages de quatre mètres de long, la moquette noire la plus coûteuse du monde, mon cher Pierre Soulages, il a fallu quatre ans pour la finir, et le pauvre tisserand depuis se repose. Mais pardon, je suis horriblement méchante langue. Aujourd'hui, ils viennent me prendre mon beau bureau à cylindre, et le directeur se déplace en personne. Je ne sais pas pourquoi.

— Votre bureau n'appartient pourtant pas aux collections du Mobilier national ? fait Pénélope, au risque de se trahir.

— Non mais ils ont son jumeau, du même ébéniste. Ils veulent faire une confrontation. Je n'ai aucune raison de m'y opposer. Notre bureau va s'absenter une petite semaine, ce n'est pas bien grave. Mais c'est toute une affaire de déménager ce mastodonte, ça pèse le poids d'un ou deux cercueils. Il faut l'emballer entièrement, le sangler dans le camion, et pendant ce temps-là je vais devoir faire la conversation, vous pouvez me plaindre... Ils sont en train de restaurer le leur en urgence, je ne sais pas pourquoi, ils en ont des dizaines, ça ne pressait pas... »

Cette fois, c'est Wandrille qui pique du nez et évite de se tourner vers Pénélope.

Au bout du jardin, la grande grille verte vient de s'ouvrir. Et Pénélope entend une voix familière et bafouillante qui demande qu'on l'excuse d'être ainsi en avance et reconnaît en un instant la silhouette de son directeur, à qui elle n'a aucune envie d'avouer son escapade, ni de présenter son petit fiancé.

9

Les fantômes de Picpus

Paris, samedi 25 juin 2011

« La Fayette, nous voici ! »

La victoire de 1918, les Américains l'ont fêtée à Picpus. Avec du champagne, sur la tombe du général La Fayette, et la bannière étoilée. Ensuite ce vénérable drapeau est resté là, à l'intérieur du cimetière et il a flotté au cœur de Paris sans que ça se sache durant toute la Seconde Guerre mondiale.

Picpus est un cimetière privé, ce qui est rare, adossé à une communauté religieuse. Il appartient aux descendants de ceux qui ont acheté ce terrain au début du XIXe siècle. À cet emplacement, il y avait deux fosses communes, où on avait enseveli sous la Révolution les corps des guillotinés exécutés non loin, à la barrière du Trône. Ceux qui ont acheté étaient les familles des victimes, et leurs descendants peuvent toujours s'y faire inhumer. Pénélope découvre : une église très simple, Notre-Dame-de-la-Paix, avec deux immenses plaques composées de carreaux de marbre assemblés où, en petits caractères, sont gravés les noms des guillotinés.

Elle regarde, il y a quelques noms historiques, Noailles – la femme de La Fayette était une Noailles, c'est pour cela que « le héros des deux mondes » a sa tombe à Picpus –, Durfort, Montmorency, La Rochefoucauld, mais il y a aussi des noms moins célèbres : Roger, Parant, Jacquinet dit Monte-au-Ciel... Ce sont les plus nombreux... Il y a même, coïncidence sans doute, un Monet qui était prêtre – car parfois il y a une indication de profession : instituteur, employé au Mont-de-Piété, boulanger, cuisinière, marchand de toiles et marchand de vin...

Un homme chauve et souriant s'est approché de Pénélope, pour lui expliquer qu'il n'y a pas de messe ce soir et que l'église va fermer. Elle se présente :

« Pardonnez-moi, j'ai dû me tromper d'entrée, je n'étais jamais venue. Je suis une conservatrice du Mobilier national, aux Gobelins, je viens apporter des documents à sœur Marie-Jo, qui me les a demandés en urgence pour un travail qu'elle doit finir. J'ai ce dossier de photographies à lui remettre.

— Oh, les chères sœurs, heureusement qu'on les a ! Je suis le gardien de Picpus, soyez la bienvenue. Sœur Marie-Josèphe, vous n'avez pas été mise au courant ? Vous savez, les sœurs sont de l'autre côté du mur, elles sont très occupées, elles donnent des cours, elles gèrent les missions à travers le monde ! On va demander à la supérieure, elle est au cimetière en ce moment. Il y a

des travaux de restauration dans une des chapelles...
Venez. Vous savez des choses pour Marie-Jo ? »

L'enlèvement d'une religieuse de Picpus devant le
casino de Monte-Carlo est un événement qu'il aurait
fallu cacher à la mère supérieure. C'était trop tard.

À l'entrée du cimetière Pénélope passe devant
une série de plaques en souvenir de descendants
des propriétaires du cimetière morts dans les camps
pendant la Seconde Guerre mondiale. Pénélope s'arrête, lit ces noms sinistres, qu'elle ne s'attendait pas à
trouver là : Ravensbrück, Buchenwald, Belsen, Dachau.

Au fond, de l'autre côté, au bout d'une allée de tombes
et de chapelles grises, une simple grille peinte en bleu.

« Au fond, mademoiselle, c'est l'enclos. Personne n'y
entre, même pas les archevêques. Il y a des centaines
de cadavres sous cette pelouse. Les Allemands ne
sont pas venus ici pendant l'Occupation, j'ai entendu
dire qu'ils ont respecté le lieu parce qu'il y a le frère
d'une princesse de Hohenzollern-Sigmaringen qui a
été jeté là avec les autres. Je ne sais pas si c'est la vraie
raison. Je crois qu'on avait simplement tout fermé à
clef. Le porche sur la rue ne laisse pas deviner ce que
c'est, ici. Les morts, on les mettait dans la chaux. C'était
la Terreur. »

À côté, le fameux drapeau américain et, tout près de
lui, une stèle portant ces mots : « Servit les muses, aima
la sagesse, mourut pour la vérité » – le mémorial du
poète André Chénier. Pénélope sent qu'elle croise des
âmes. Ce n'est pas comme au Père-Lachaise, où on va
chercher des célébrités. Ici il y a des inconnus qui ont
souffert. Elle a envie de leur parler. Elle ne sent pas que

c'est l'été, elle imagine des silhouettes entre les tombes, elle sent un courant d'air qui la fait sursauter.

«On dit que le président Obama veut venir, précise fièrement le gardien, les gens de l'ambassade se sont pointés déjà deux fois pour repérer, mais bon c'est secret, faut pas en parler encore... Je suis pas sûr que le président de la République l'accompagnera. Il faudra qu'on nettoie un peu les tombes, avec toutes ces mousses et ces lichens. On ne met jamais de fleurs. Le prince de Monaco fait dire des messes tous les ans, on n'en fait pas de publicité, on a Thérèse-Françoise de Monaco dans la fosse, guillotinée à vingt-six ans, mais il n'est pas encore venu...»

Pénélope a un peu de mal à avancer. Depuis long-temps elle sait que cet endroit existe, il a fallu cette aventure pour qu'elle y aille. Elle se sent épuisée. Elle a cru voir une ombre derrière la grande chapelle qui se trouve au fond, mais c'était une illusion. La matinée à Giverny, le dialogue avec ce Japonais lui a laissé une impression très désagréable – et elle a réussi, grâce à Wandrille, à éviter son directeur qui descendait d'une des camionnettes du Mobilier national au moment où, sur le perron de la maison de Monet, Fujiwara leur souhaitait, d'une voix mielleuse, un bon retour. Il lui avait fallu beaucoup d'énergie pour repasser chez elle, se changer, et reprendre le métro vers Picpus – elle aurait mieux fait de descendre à Nation, elle s'est perdue, elle a failli arriver après la fermeture. Elle aurait voulu être chez elle, dans sa baignoire, à réfléchir dans le parfum des huiles essentielles. Elle sent qu'elle va tomber malade.

10

Ce qui se lit sur les lèvres
du peintre

Paris, samedi 25 juin 2011

Tout à coup, le visage épanoui d'une religieuse fait face à Pénélope, elle donne des instructions à deux maçons, s'interrompt, barre le chemin. Comment cette femme âgée fait-elle pour sembler aussi enjouée et rayonnante dans un endroit aussi triste?

Pénélope fait un grand effort pour oublier toutes les ombres qu'elle sent ici autour d'elle. Elle se redresse, ouvre son cartable et regarde la religieuse dans les yeux.

Elle lui montre les photocopies des tapisseries de Monet des Gobelins, le petit dossier qu'elle a constitué avec la reproduction des lettres de l'administrateur de l'époque commandant des cartons à l'artiste...

La mère supérieure se concentre, regarde chaque feuille. Pénélope sent qu'elle vient de réussir un petit examen, et n'a honte ni de sa ruse ni de sa médaille de baptême sortie de son chemisier Liberty. La religieuse lui fait part aussitôt de ses inquiétudes, en s'écartant un peu des ouvriers et du cicérone.

Marie-Josèphe était en mission, elle avait besoin de consulter des documents concernant le voyage de Claude Monet sur la Côte d'Azur. La mère supérieure préfère dire « dans le Sud ». Elle explique, comme pour excuser ce que cette « mission » pouvait avoir de profane en apparence, que les recherches de sa consœur sur Claude Monet sont financées par un mécène et que cela aide beaucoup les bonnes œuvres de la communauté. Pénélope montre qu'elle est au courant, cite Thomas Wallenstein, ment un peu en disant qu'elle le connaît, dans la petite communauté des historiens de l'art tout le monde se croise à un moment ou un autre. Marie-Jo devait aller travailler aux archives du palais princier – et cette fois Pénélope cite le nom de son ami Édouard, un conservateur parmi les plus brillants de sa promotion, voilà la mère supérieure parfaitement en confiance.

« Elle m'a envoyé un texto sur mon portable, ce qu'elle ne fait jamais. Je suis inquiète. Très inquiète.

— Elle a un portable ?

— Un Smartphone, figurez-vous, cadeau de son mécène, abonnement illimité compris, on l'a toutes regardé ici, c'est un instrument de travail très utile, elle fait même des photos avec... Vous croyez que nous, les religieuses, nous vivons au Moyen Âge ? Vous saviez qu'il y a maintenant une "application" pour réciter le chapelet et les mystères du rosaire ? L'Église n'est pas en retard !

— Elle vous a écrit ?

— Oui, c'est très anormal. En réalité nous ne communiquons comme cela que dans des situations d'urgence. Et les urgences, nous en avons rarement, je dois bien vous l'avouer... Regardez, j'ai son message, elle dit : "Presque plus de batterie. Je vous appelle dès que je suis sortie de là. Union." "Union" c'est l'abréviation pour "en union de prière", c'est ainsi que nous terminons toujours nos lettres entre religieuses. C'était il y a trois jours. Depuis, pas de nouvelles. J'ai tenté de l'appeler dix fois. Elle a envoyé deux minutes plus tard une photo, très sombre, on ne voit pas grand-chose, je me demande où cela a bien pu être pris. Ça ne ressemble pas à des archives de palais. Elle logeait dans une communauté amie, à Théoule-sur-Mer, personne ne l'a revue là-bas.

— Je vais appeler mon ami Édouard. Il faut savoir quand il l'a vue pour la dernière fois.

— Ce soir je vais réunir la communauté. J'ai prévenu la police dès qu'on a commencé à s'inquiéter vraiment. Au début, je ne m'en suis pas préoccupée plus que cela. Marie-Jo, c'est notre électron libre, toujours par monts et par vaux ! Mais je n'ai pas donné la photo au policier. J'ai pensé que c'était lié aux missions toujours très secrètes de Marie-Jo. J'aurais dû la montrer. Je m'en veux. Regardez l'image. Dites-moi ce que vous en pensez. Si sa batterie est à plat, elle ne peut pas nous appeler. Je me suis d'abord dit qu'elle allait vite revenir. Depuis ce matin, j'ai peur. »

La photo montre une sorte de tuyau enroulé sur une grande roue, comme la lance d'incendie des pompiers, au premier plan. Au fond c'est une pièce sombre, avec un plancher qui suit une ligne courbe. Le cliché est pris dans une rotonde, qui semble servir de débarras, il y a deux caisses qu'on devine à droite. Pénélope dit à tout hasard que ça lui rappelle quelque chose, alors qu'elle ne sait rien. Elle suggère qu'elle pourrait montrer ça à son administrateur, ou l'envoyer à Édouard à Monaco. La bonne sœur lui transfère immédiatement le cliché. Elle semble soulagée de pouvoir enfin parler de cette affaire avec quelqu'un.

Elle propose à voix basse à Pénélope de la conduire dans la cellule de Marie-Jo. Le policier qui est venu a fait un petit tour, sans même prendre de photos, tout lui a semblé normal. Il y aura peut-être des indices, dans les dossiers et les livres qu'elle a laissés sur sa table, ce serait bien qu'une historienne de l'art regarde ça. Et puis, comme cela, elle laissera sur sa table les documents qu'elle avait apportés.

« Marie-Josèphe est un trésor pour nous, continue la supérieure en faisant claquer ses sandales sur les tomettes, elle fait tout pour nous impliquer dans son travail, alors que nous ne connaissons rien à la peinture. Elle nous parle de Monet. La semaine dernière, elle a même organisé une projection, dans notre réfectoire. Ça nous a passionnées. Elle nous a montré *Ceux de chez nous*, de Sacha Guitry, vous savez ce film incroyable pour lequel il est allé chez Monet, chez Renoir, avec même le vieux Degas qu'il a attendu sur le trottoir parce que ce ronchon ne voulait pas entendre parler de la caméra. Elle nous a fait participer à une expérience. Elle a profité de ce que nous avons ici sœur Ange-Pascale, qu'on laisse toujours un peu à l'écart, je l'avoue, elle n'a pas bon caractère, et elle est sourde. Elle vient d'une très bonne famille. Eh bien, Marie-Jo a su faire de cette pauvre Ange-Pascale, toujours tellement renfrognée, la reine de la soirée ! Ange-Pascale a appris à lire sur les lèvres depuis qu'elle est toute petite...

— Formidable ! Elle lui a demandé ce que dit Monet ?

— On avait toutes peur que ce soit des horreurs. Renoir était très cru, paraît-il. Grâce au Ciel, c'est très décevant : il s'adresse à son fils et dit des choses comme : "Claude, apporte-moi ma palette, mes pinceaux..."

— Et Monet ?

— C'était difficile. À cause de la barbe. Il parle de recettes avec sa bonne semble-t-il, il dit, je crois : "ma nappe sur la table de la cuisine", ça n'a pas grand intérêt, on a été déçues... Mais quelle émotion ! Nous étions les premières à entendre Monet, vous vous rendez compte ! Aucun historien de l'art, nous a dit Marie-Jo, n'avait eu cette idée toute simple de montrer ce film à une personne déficiente auditive. Ange-Pascale s'est sentie utile, pour une fois, j'étais si contente. Ah, tenez, on arrive, voici la cellule... »

Le bureau de sœur Marie-Jo, à côté de son lit et de la petite fenêtre qui donne sur le mur du cimetière, est parfaitement rangé. Des volumes en bon ordre sur l'étagère, les deux éditions successives du catalogue de l'œuvre de Claude Monet, des dossiers avec des étiquettes au dos consacrés à toutes les années de la carrière du peintre, rien d'anormal.

Sur le bureau, une enveloppe de papier kraft est posée.

«Elle est arrivée le surlendemain de sa disparition, juste après le passage du policier. Vous croyez que j'aurais dû rappeler le commissariat du XIIe pour le dire ? Ce n'est pas important, c'est lié à ses recherches évidemment, je n'ai pas osé l'ouvrir, ça vient de M. Wallenstein. Regardez, vous, vous êtes de la partie.»

Pénélope n'hésite pas. À l'intérieur elle trouve une carte de visite avec le nom barré et deux lignes : «Voici une photocopie du cliché que notre homme va vous soumettre quand vous le rencontrerez à Monaco, il me l'a envoyée aussi à moi. Ça semble OK. Votre avis ?»

La photographie montre le salon-atelier de Giverny, les canapés, la petite table, la grande fenêtre et les tableaux accrochés sur tous les murs. Pénélope est devenue tellement amie avec la supérieure de Picpus qu'elle a même obtenu le droit de l'emprunter. Elle sort de ce jardin sacré emportant la bénédiction d'une sainte femme, sa mauvaise conscience, et une importante pièce à conviction.

11

« Mon fiancé, c'est Claude Monet »

Paris, samedi 25 juin 2011

« *Signé Picpus* !

— Tu veux dire, Wandrille ?

— C'est le titre d'un Maigret, je te le prêterai, une histoire de voyante assassinée rue Caulaincourt. »

Dans l'appartement de Wandrille, Pénélope joue, pour lui faire peur, à imaginer à quoi ça ressemblera quand, jeune mariée, elle y aura installé ses affaires.

Wandrille est entré dans sa période « no logo », il découd les étiquettes de ses polos, s'achète des jeans sans marque qui coûtent le double. Il a décidé de s'affranchir de l'esclavage publicitaire. Pénélope s'était assez moquée de son goût pour Paul Smith et autres A.P.C., tout est parti chez les chiffonniers d'Emmaüs. Wandrille est un homme libre, et quand Pénélope arrive, il est en T-shirt blanc et pantalon vert pomme acheté dans un troc qui s'appelle Chercheminippes rue du Cherche-Midi, dégriffé de pied en cap.

Sans cérémonie, Pénélope met sur la table les trésors qu'elle vient de trouver.

Une photo prise par la malheureuse Marie-Jo dans une sorte de grenier, ou de caverne, et la photocopie du cliché fait chez Monet. Wandrille lui confirme tout de suite que c'est exactement le format de la photo qu'il a aperçue de loin dans les mains de l'homme au blouson, à la terrasse du Café de Paris. Il reconnaît même l'ombre blanche au centre, qui correspond à la fenêtre de l'atelier.

«Bon, mon Wandrille chéri, laisse parler ta fiancée historienne de l'art, spécialiste de Giverny depuis au moins huit heures, tout est simple. La photo que m'a confiée la mère supérieure est sans appel. Il s'agit bien de l'atelier de Monet, tout désigne une photo ancienne, avec ses bords dentelés. On y voit au centre, bien en évidence sur cette espèce de boîte en bois, un magnifique paysage, pas très grand, avec la mer et des rochers, dans une palette assez pâle, qui a toutes les chances d'être une vue de Monaco. Mais la photo a été faite trop vite. Sur la partie droite, il y a un tableau qui dépasse de quelques millimètres, on en voit le bord, regarde. J'ai reconnu *En canot sur l'Epte*, ça te dit quelque chose ? Ce tableau n'a jamais été à cette place ! C'est le tableau qui remplace les nymphéas que Fujiwara n'a pas eu l'autorisation de faire reproduire par ses petites mains surdouées de la galerie Troubetskoy. Cette photo est un vrai-faux, très habile. Elle a bien été faite dans le salon-atelier, avec un appareil ancien, on y croit... Sauf que l'accrochage est celui qui vient d'être reconstitué. Au mur, ce sont les répliques des tableaux installées il y a peu, à la plus grande rage d'Antonin Dechaume, pas les originaux.

— On cherche à donner un pedigree à l'œuvre, elle a été introduite dans cette pièce le temps d'une photo, qui suffirait à l'authentifier. Fujiwara n'est pas dans le coup : il n'aurait jamais laissé *En canot sur l'Epte* visible.

— Ça veut dire aussi que Thomas Wallenstein l'avait regardée assez vite, ou qu'il ne connaît pas en détail les nouveaux aménagements de Giverny, quand il a envoyé ça avec son petit mot d'accompagnement, que j'ai pu lire, à sœur Marie-Jo.

— C'est très malin de placer un tableau faux dans un décor qui l'authentifie, ça le "documente". Et cette fausse photo ancienne a dû être faite avec une pellicule argentique dans un appareil à soufflet comme en avaient les officiers de la guerre de 14. On y croit. J'imagine que peu de gens à Giverny remarquent le remplacement des *Nymphéas bleus* par *En canot sur l'Epte*. »

Le fameux cambriolage de Giverny, que Dechaume a raconté à Pénélope, au cours duquel on n'a rien pris, c'était cela.

Une silhouette en noir est entrée de nuit, avec un tableau, a fait la photo et a eu le temps de repartir...

Dès le lendemain, le cliché, pas l'original, il aurait fallu faire vieillir artificiellement le papier, mais un bon scan, se trouvait sur le bureau de Wallenstein – qui l'a photocopié et envoyé à Picpus.

Les faussaires doivent faire vite s'ils veulent vendre le tableau aux amis du prince de Monaco, le tableau qui sera le plus beau des cadeaux de mariage, ils disposent de quelques jours encore pour recevoir une attestation authentique de l'Institut Wallenstein certifiant qu'il sera inclus dans la prochaine édition du catalogue raisonné de Claude Monet.

« Et pour cela, conclut Wandrille, il faut deux choses, une analyse scientifique faite par Carolyne Square dans son laboratoire américain à partir d'un prélèvement de pigments.

— Elle est morte.

— Et une étude historique officielle signée de sœur Marie-Josèphe établissant sans contestation possible que le tableau s'est bien trouvé chez Monet de son vivant, dans la pièce où il accrochait ses propres œuvres.

— Or elle a disparu. »

Wandrille, dans sa cuisine, épluche des légumes issus du commerce équitable. Il a dépensé au marché bio du boulevard Raspail l'équivalent d'un déjeuner chez Taillevent. Il demande à Pénélope d'agrandir, sur son ordinateur, la photo envoyée comme un appel au secours par sœur Marie-Jo.

Pénélope, qui a l'esprit pratique, tente d'éliminer la piste du crime de la rue de la Pépinière. Elle ne veut en retenir qu'une chose : Monet avait un beau-frère agent de change, soucieux de ne pas voir Alice Monet sa belle-sœur tomber dans la misère, ça explique assez facilement une partie de ce qui intrigue Antonin Dechaume. Il voit des mystères partout. Si Monet a pu être si riche à la fin de sa vie, c'est tout simplement parce que son beau-frère lui avait fait faire de bons placements. Il n'y a pas à chercher plus loin. Quant à cette «affaire de mœurs», elle fait très *Petit Journal illustré*, c'est du Grand Guignol 1910, ça a un côté *Les Brigades du Tigre* à la télévision – quel rapport avec le faux Monet qu'on cherche à vendre à Monaco?

Wandrille, perplexe, trie ses asperges.

Lui, pour occuper cette fin d'après-midi, a regardé ce qu'on pouvait apprendre sur Internet au sujet de Carolyne Square. C'est toujours bien d'enquêter sur la victime. Elle avait un mari, écolo, fabricant de meubles en bois – ils avaient fondé leur petite entreprise ensemble – qui était tout sauf bûcheron. Richissime, appartement à New York dans Greenwich Village, collection d'art africain – pas d'impressionnistes a priori au-dessus du canapé dans le reportage que le magazine *Art & Décoration* leur avait consacré, mais un sublime masque kwélé du Gabon, avec trois paires d'yeux sculptés en relief, digne du musée du quai Branly. Le mari doit être en France, impossible de savoir si le corps de la malheureuse a déjà été rapatrié, s'il a été soumis à des examens médico-légaux.

La presse semble oublier déjà le crime du Cercle. Wandrille a aussi appelé son ami le coach sportif qui accède au second degré, qui a été entendu par la police, comme témoin, et à qui on a dit qu'il n'était pas suspect. Trois membres du Cercle l'ont vu dans les étages, à l'heure supposée du crime, ont parlé avec lui... Mais il peut à tout instant être à nouveau convoqué, on lui a demandé de ne pas s'éloigner durant les deux semaines à venir, il n'en avait pas l'intention.

Le Cercle a rouvert ce matin, boulevard Saint-Germain, comme s'il ne s'était rien passé.

« Montre-moi cette photo. On va l'éclaircir au maxi-
mum, ensuite, on dîne c'est promis.

— Une pièce ronde, ou semi-circulaire, qui sert de
débarras. La pauvre a dû vouloir montrer l'endroit où
elle est enfermée. Puis son portable s'est éteint.

— Circulaire ! Bravo !

— Le Cercle ?

— Mais oui ! Il y a au Cercle, boulevard Saint-
Germain, une rotonde de ce type. Regarde, la petite
moulure le long du plafond, c'est exactement la même,
avec des palmettes, je la reconnais...

— Tu veux dire que la bonne sœur aussi est au
Cercle ? On va la zigouiller !

— Mais non ! Elle est toujours à Monaco, là où je
l'ai vue entrer. J'avais fini par croire que j'avais eu une
hallucination... »

Wandrille a reconnu non pas le lieu mais l'architecte.
La Salle Garnier de Monte-Carlo porte la signature du
maître. Il y a aussi une salle ronde comme cela, mais
plus vaste, au sommet de l'Opéra de Paris, qui sert pour
les répétions de ballet.

Cette pièce ronde doit se trouver au sommet,
au-dessus de la salle, c'est le symétrique exact de ce
que Garnier a construit boulevard Saint-Germain pour
le Cercle de la Librairie, moulure comprise.

Sœur Marie-Jo est emprisonnée dans de l'architecture de Garnier, c'est chic, et le rouleau style lance de
pompier qu'on voit sur l'image est sans doute ce qui
reste des installations anti-incendie de cette salle de
spectacle ultramoderne de la fin du XIXe siècle.

Pénélope aussitôt téléphone à Édouard, qui à cette
heure tardive, un samedi, est encore dans son petit

bureau sous les toits du palais, en train de mettre au point une version numérique de la généalogie des Goyon-Matignon.

Il ne cache pas sa stupeur. Cette pièce existe, bien sûr, mais même lui a mis deux ans, depuis son retour à Monaco, pour en découvrir l'existence. Pénélope ne lui a pas parlé de bonne sœur prise en otage pour ne pas l'inquiéter. Elle n'imagine pas que Marie-Jo puisse courir un réel danger, maintenant que Carolyne Square est morte, le ou les faussaires ont absolument besoin d'elle pour faire admettre la toile au catalogue.

Pénélope, ingénue, demande à son confrère si cette zone est sécurisée, et s'il est capable, depuis le palais, de demander à une patrouille de la police monégasque d'aller y faire une petite ronde de nuit. La réponse est inattendue :

« Mais tu plaisantes, ils y sont depuis ce soir. Tous les toits de l'Opéra sont occupés par des hommes de la sécurité, il n'y a pas que nos troupes d'élite, la France a aussi envoyé des hommes du GIGN. Figure-toi qu'il y a deux campaniles à gauche et à droite de cette rotonde sous le toit, et qu'évidemment ça serait un poste idéal pour un terroriste. On a donc décidé d'y placer, pour le mariage, deux caméras de télévision, avec toute la sécurité nécessaire. Il faut câbler, tirer des fils, on y a envoyé les policiers monégasques avec quelques carabiniers du prince qui supervisent tout pour le mariage, je les ai vus partir tout à l'heure. Tu sais, c'est un village, le palais... Tu veux que je m'informe de ce qu'ils auront trouvé ? Que cherches-tu ? Et d'abord comment savais-tu qu'il y avait une pièce ronde au sommet de la Salle Garnier ?

— Appelons-nous plus tard Édouard, il est d'ailleurs temps que tu quittes ton bureau. Wandrille apporte sur notre future table familiale une soupe fumante, il va me faire une scène si je la laisse refroidir. À plus tard, je t'embrasse. »

Édouard, curieux comme un archiviste paléographe, va rappeler dans l'heure, Pénélope en est certaine. Elle s'effondre dans un canapé. Wandrille a préparé deux plateaux. Il a découpé des morceaux de fromage anglais, coupé du pain d'épeautre, et servi sa soupe dans des bols modelés par une communauté de femmes potières du Burkina Faso.

« Mais c'est aveuglant, Pénélope, on aurait pu y penser plus tôt. Ces fortunes que dépense Monet pour son pépiniériste.

— Georges Truffaut ?

— Mais non ! Le "pépiniériste", dans ses carnets de comptes, désigne son beau-frère lubrique de la rue de la Pépinière. Imagine que les parties fines de la rue de la Pépinière aient vraiment eu lieu. Que Monet s'y soit rendu ? Que ce soit ça, son secret ? Son beau-frère Rémy lui demandait peut-être de l'argent, il le faisait chanter... Le plus riche des deux, c'était peut-être Monet... Ou alors ils s'entendaient comme larrons en foire tous les deux... Ils s'enrichissaient en tenant ensemble une maison de rendez-vous de grand luxe...

— Monet avec des minets ? Tu divagues, il n'aimait que les femmes...

— Mais la Pépinière c'était peut-être un établissement discret où il y avait des femmes et des hommes, c'était le quartier des maisons closes, vers Saint-Lazare, avec les petites bécassines qui arrivaient toutes fraîches des provinces de l'Ouest...

— Avant de salir mon cher Monet, trouve-moi un début de preuve ! Je te défends de continuer sur ce sujet.

— Que tu es moralisatrice, "salir" ! Je dis qu'il allait s'amuser là-bas ! Tu deviens puritaine ? Tu veux du poivre ? C'est du Malabar moulu, premier choix. Si tu veux que je te trouve une preuve, je vais devoir continuer mon enquête dans cette direction.

— Je t'interdis. Je l'aime. Je te plaque pour lui. Mon fiancé, c'est Claude Monet ! »

INTERMÈDE

Soleil levant

Paris, 25 avril 1874

Claude Monet rentre content, avec *Le Charivari* sous le bras. Ce critique, ce Louis Leroy, quel génie ! Il vient de lui rendre le plus grand des services : il l'a éreinté. Il sifflote sur les boulevards, main dans les poches, heureux.

C'est son meilleur tableau qu'il a pris en exemple pour tourner en ridicule leur exposition. En plus son papier est très drôle. Il met en scène deux personnages, lui-même et un certain père Vincent, paysagiste à l'ancienne mode, qui devient fou en regardant sa vue du port du Havre, celle qu'il a titrée à la dernière minute, parce qu'il ne savait pas quoi écrire dans le petit catalogue, *Impression, soleil levant*.

Tout a commencé avec Frédéric Bazille, l'ami généreux, affectueux, passionné, attentif, Alfred Sisley,

Pierre Auguste Renoir. Puis il y a eu la rencontre avec Pissarro, puis cet étrange ami misanthrope et élégant, Degas. Ils ne s'aimaient pas tant que ça, mais ils avaient décidé de faire parler d'eux – et surtout ils méprisaient les vieux maîtres, avec leurs vues du paradis terrestre fabriquées avec des palmiers en zinc et des ciels comme des ciels de lit en soie bleue, on en avait assez vu.

Ils avaient compris que les paysagistes de la forêt aux environs de Barbizon avaient réussi parce que c'était une petite troupe d'artistes, que le public regardait comme un tout. Mais ils n'étaient pas allés assez loin, ces braves fabricants de sous-bois, cette petite famille de gardes-champêtres, il fallait montrer la vraie vie, les jardins, les maisons, les boulevards. Il fallait marcher ensemble, mais à Paris d'abord. Montrer aux Parisiens les paysages accessibles par le chemin de fer, du port du Havre à la campagne aixoise – la spécialité d'un autre misanthrope, qui avait été au collège avec Zola, Paul Cézanne.

Au groupe il manquait un local et un nom. L'atelier de Nadar boulevard des Capucines pourrait bien leur fournir l'un et l'autre : on s'appellerait « la Capucine » ce serait poétique et étrange. Degas aimait bien. Un nom de fleur, Monet n'a rien contre, il aime les couleurs des capucines.

Monet peint vite. Il lance des couleurs sur la toile, rattrape au vol des coulées de peinture, il n'a pas d'argent pour acheter autant de toiles qu'il voudrait, sinon il en couvrirait des mètres !

Du 15 avril au 15 mai, l'exposition n'allait peut-être pas attirer grand monde, on avait bouclé à la hâte.

Monet avait improvisé : cette rade bleue avec une petite barque ne pouvait décidément pas s'appeler «Vue du port du Havre». Il avait inscrit le premier mot qui lui était venu : *Impression*. Corot intitulait ses derniers tableaux «Souvenirs», pour montrer qu'il ne représentait pas un paysage réel. «Impression» ce serait un peu la même chose : un paysage peint devant la réalité, mais qui serait une interprétation personnelle, pas grâce au souvenir, mais plutôt à travers le filtre de ses sensations personnelles. Les étangs de Corot, la surface de l'eau au Havre, c'est cela le souvenir, une autre réalité qui est faite de reflets. Le vieux Gleyre disait qu'il fallait avoir un style, et ne pas regarder les choses telles qu'elles sont, lui il regarderait tout, mais imprimerait sa vision. D'où ce mot, simple et presque banal... Les autres s'intituleraient de la manière la plus simple : *Déjeuner*, *Coquelicots, Boulevard des Capucines*.

Grâce à ce Leroy, le nom était trouvé. Ils n'avaient pas grand-chose en commun. Beaucoup de paysagistes ne faisaient pas de bien grands efforts de nouveauté, tant pis, ils seraient «les impressionnistes» – et Monet devenait, par ce tour de passe-passe imprévu, le parrain du mouvement. Un jour il serait riche, célèbre, adulé par les femmes, ami des ministres et des princes, et il s'en ficherait complètement. Il aura un jardin avec des roses, des capucines et des tulipes. Il pourra envoyer tout le monde promener. Ce Louis Leroy, ils auraient dû le payer !

Le soleil se levait.

TROISIÈME PARTIE

Le *Nautilus* du capitaine Monet

« Peu à peu, la brume se dissipa sous l'action des
rayons solaires. L'astre radieux débordait de l'horizon
oriental. J'admirais donc ce joyeux lever de soleil,
si gai, si vivifiant, lorsque j'entendis quelqu'un
monter vers la plate-forme. Je me préparais à saluer
le capitaine Nemo... »

JULES VERNE,
Vingt Mille Lieues sous les mers,
1869

1

Vernochet vole,
les carabiniers arrivent trop tard

Dimanche 26 juin 2011

Maître Vernochet vole vers Monaco. L'hôtesse, à bord, l'a reconnu. Elle le voit à la télévision. Elle a repéré tout de suite son pantalon de velours orange et sa veste verte à carreaux bleus, ses grosses lunettes d'écaille.

Elle le dévore des yeux. Elle n'a pas encore lu son dernier livre, *Comme un marteau sans maître, mémoires d'un commissaire-priseur*, mais c'est décidé, elle va se l'offrir. Elle aurait tant aimé faire l'École du Louvre. Visiter les expositions avec un homme comme lui, ce doit être passionnant. Il n'a pas d'alliance. Elle rêve. Vivre avec maître Vernochet, entre Monaco et Gstaad, la grande vie.

Il doit connaître une foule de gens intéressants, entrer dans les collections les plus secrètes, celles qu'il nous révèle parfois le samedi après-midi sur France 3. Il a sorti son ordinateur, mis un casque – quelle musique un homme comme lui peut-il bien écouter ? Des raretés classiques, c'est sûr, des *live* de concerts privés des Stones, du Chopin, il a l'air si romantique – et il a transformé sa tablette en bureau. Il y a devant lui deux gros carnets, son agenda, plein de photos découpées, il doit travailler tout le temps. Il a un gros catalogue sur les genoux, elle jette un coup d'œil : « Musée océano-graphique de Monaco ». Que va-t-il faire à Monaco ? On entend souvent parler de grandes ventes en prin-cipauté... Il a comme un air de gourmandise au coin des lèvres, comme un homme qui va réussir une belle affaire... Ou alors il est invité pour le mariage. Il va rencontrer Charlène et Albert, et Caroline, et Stéphanie peut-être. Elle n'osera pas le lui demander. Ah, si le vol était plus long, avec un déjeuner, elle engagerait la conversation en lui disant : « Viande ou poisson ? », ou peut-être même : « Et pour vous, maître, viande ou poisson ? » Elle le regarde. Elle le trouve beau, avec ses cheveux blancs impeccables. Un bel homme de soixante ans, un peu plus peut-être, avec ce sourire chaleureux, protecteur. C'est quelqu'un comme lui qu'elle aimerait avoir dans sa vie.

Il a l'air agité, pas tranquille, il regarde sa montre, une jolie montre ancienne en or. Il fait des calculs sur son téléphone, note des chiffres au crayon dans un joli petit carnet en cuir qu'il a sorti de sa poche. Elle va juste s'arranger pour quitter rapidement la cabine à l'atterrissage, pour voir qui l'attend à Nice. Il n'a qu'un bagage à main, une petite valise à roulettes de Vuitton, en toile damier anthracite, ce qu'on fait de plus discret

– il a dû réserver la navette d'hélicoptère pour Monte-Carlo, ou alors il y aura un hélicoptère envoyé par le palais princier, pour lui tout seul...

*

Trop tard ! Les policiers monégasques, coiffés de leur casquette américaine marquée des armoiries aux losanges, accompagnés de quelques carabiniers du prince, bouclent la Salle Garnier. Le colonel des carabiniers a tenu à surveiller lui-même les opérations. La salle de spectacle communique, par un atrium, avec le casino, qui va fermer au moment du mariage, mais qui est encore en service. La mission est simple. Elle consiste à placer quatre hommes qui vont se relayer à la porte de l'Opéra, et à vérifier que le bâtiment est bien vide, que les accès aux toits sont dégagés, et qu'on pourra y installer les équipes de la télévision. Toutes les autres sorties sont déjà fermées à clef.

L'inspection a commencé par la loge princière et les petits salons privés attenants, vides bien sûr, restaurés depuis peu, tout est impeccable. L'ascenseur du prince a été remplacé, aucun danger de panne – les ascenseurs, c'est une technologie qui est très au point à Monaco.

La vérification de la salle et de la scène n'est pas tellement plus longue, le bâtiment est conçu selon des règles de simplicité qui facilitent son entretien, c'est une grosse boîte carrée.

Ce qui est beau, c'est qu'un des côtés est constitué de trois grandes fenêtres, qui donnent sur la mer. Ils n'ont pas ça à l'Opéra de Paris. Quand le public entre, le soir, la Méditerranée l'accueille, le soleil se couche dans les ors et se reflète, en face, dans les miroirs, les rideaux rouges tombent avec la nuit, et le grand rideau de scène se soulève, c'est magique. Ici, Maurice Ravel a créé *L'Enfant et les Sortilèges*.

L'équipe monte maintenant dans les cintres. L'envers des stucs exubérants et des boiseries dorées, c'est une architecture de métal, peinte en gris, avec des rivets.

La stupeur du colonel est totale quand il pousse la porte qui permet d'entrer dans la rotonde du sommet. C'est la seconde fois qu'il y vient : on y a laissé tout l'équipement du temps de Garnier, un grand cabestan sur lequel s'enroule une lance à incendie, un contre-poids qui permettait de faire descendre le lustre. Mais ce qui ne devrait pas s'y trouver, c'est ce matelas à même le sol, ces cordes et ces chiffons en désordre, et cette petite valise de métal dans laquelle il y a trois bouteilles d'eau, dont une à moitié vide, des boîtes de thon et du poulet froid, une collation qui visiblement ne provient pas de l'hôtel Hermitage et qui semble dater d'hier, ou peut-être même de ce midi. Le colonel, qui n'a pas souvent l'occasion de verbaliser des SDF, reste interdit. Son téléphone sonne dans sa poche.

« Ah, monsieur le conservateur en chef... Ce n'est pas vraiment le moment, mais je vous écoute... Mais oui, comment le savez-vous ? Vous avez eu des infor-mations ? Je m'y trouve justement. Oui, il y a eu en effet un habitant. Qui a dû savoir qu'on allait tout sécu-riser... Actuellement ? Il n'y a plus personne, oiseau envolé. Vous croyez que c'est lié au mariage, qu'il y a un risque terroriste ? Pour nous ce n'était qu'une mission de routine... Vous me racontez tout ce que vous savez tout à l'heure ?... Entendu, je passerai à votre bureau. »

*

Précédée par un carabinier, Pénélope est entrée dans la forteresse des Grimaldi un peu avant le coucher du soleil. Comme tout est en ébullition, on l'a fait passer par le garage.

Elle longe la grosse voiture noire immatriculée MC-01 avec une émotion de midinette. Le carabinier l'oriente vers l'ascenseur, puis il faut encore prendre un escalier avant que le sol de marbre ne devienne du linoléum, c'est l'étage de l'administration. Au mur, des peintures aborigènes, inattendues, mais belles. Elle n'a pas le temps de s'attarder.

Pénélope se jette dans les bras de son ami Édouard, surpris de tant d'effusion. Elle est venue aussi vite qu'elle a pu, par le train, c'est presque aussi pénible qu'en avion. Tous les vols étaient complets, et il fallait absolument qu'elle intervienne, elle sentait qu'au téléphone ça ne suffirait pas. Elle a tant de choses à raconter à Édouard, et surtout elle veut absolument retrouver sœur Marie-Jo. Elle se sent comme engagée vis-à-vis des merveilleuses sœurs de Picpus.

Son intention est de dire à Édouard que les preuves sont accablantes. Elle a la photo truquée avec elle. Le tableau que maître Vernochet veut faire acheter aux amis du prince est un faux. Par téléphone, il n'aurait pas voulu la croire.

Édouard, très agité, dans ce bureau qui domine la rade, la regarde avec effarement. Il parle à toute allure, elle n'arrive pas à l'interrompre :

« Pénélope, d'abord tu avais raison : on a caché quelqu'un dans la Salle Garnier, et dans la pièce que tu m'avais décrite, au-dessus des cintres. Il y avait des cordes sur le sol, et des tissus qui avaient pu servir de bâillon. Mais évidemment, il n'y a plus personne. Quelle idée de se planquer là ! Remarque, c'est discret, on n'y vient jamais, c'est ce qu'il y a de plus central à Monaco – et on peut s'échapper par les toits. Sauf cette semaine : toute la principauté est une citadelle archicontrôlée, on a augmenté encore le nombre de caméras de sécurité.

— C'est quelqu'un qui ne veut pas quitter la ville, qui ne veut pas aller à l'hôtel et qui connaît parfaitement Monaco, si je résume. C'est aussi quelqu'un qui n'en a rien à faire d'être filmé. Un culot monstre.

— Le colonel des carabiniers est en train de visionner lui-même, au PC de sécurité de notre police, les caméras qui sont braquées sur l'Opéra. Il doit me rappeler. Je lui ai transmis la petite photo de la bonne sœur que tu m'as envoyée, celle que *Le Figaro* avait déjà publiée si je me souviens bien, mais bon on ne voit pas grand-chose, c'est sa photo officielle, avec le voile, je ne sais pas si ça les aidera beaucoup.

— Il faut que je te parle, écoute-moi deux minutes.

— Attends. Ce n'est pas ça le plus important. Pénélope, regarde, j'ai reçu un e-mail de Thomas Wallenstein en personne. Il me dit que les analyses complètes vont être faites en vingt-quatre heures, et qu'il va pouvoir me fournir aussi le pedigree détaillé du tableau, mais il me transmet déjà un rapport provenant d'un laboratoire indépendant du Connecticut, le Square Lab. Tu connais ? Assieds-toi. Les pigments sont absolument bons, il n'y a aucun doute, ce sont ceux que Monet utilisait à cette période. Un prélèvement a été fait dans une zone où il y a un rouge marron, c'est la laque Géranium de la firme Tasset et Lhote, elle provient exactement du même tube que celui qui a servi pour le tableau que je vous ai montré l'autre jour, à Wandrille et à toi, celui qui est dans le bureau de Son Altesse sérénissime le prince, qui a été analysé par Wallenstein il y a cinq ans. Une laque rouge intense, que Van Gogh utilisait aussi, et qui a eu la mauvaise idée de virer avec le temps, aucun faussaire ne saurait imiter ça. La toile à gros grains est exactement du type de celles que son marchand fournissait à Claude Monet, on sait même qu'elle a été coupée dans un rouleau qui a servi à trois autres tableaux, tous répertoriés. Tu n'imagines pas la précision de ces laboratoires aujourd'hui. Je crois que ça va être un cadeau magnifique. Il est authentique, aucun doute ! Je t'invite à dîner, on va au Tip Top. »

2

Vernochet tente la culbute

Monaco, dimanche 26 juin 2011

La cathédrale Saint-Nicolas se lance dans une grande répétition de cloches, et la chapelle palatine lui répond, c'est le dernier dimanche avant la semaine de fêtes en principauté. Tous les passants arborent des mines réjouies.

Monaco compte quelques restaurants qui sont parmi les meilleurs d'Europe, c'est là que le grand Escoffier lui-même mit au point les fraises à la Sarah Bernhardt, les grands hôtels rivalisent d'illustres noms gastronomiques et de sommeliers « meilleurs ouvriers de France » – intéressante extension du domaine de la classe ouvrière... et puis il y a, aussi, le Tip Top.

Le Tip Top aurait pu être un établissement de luxe, il est très bien situé, à deux pas du casino et de l'Opéra, à côté de la grande galerie marchande que Pénélope a repérée tout de suite, mais il ne fait des affaires que vers deux heures du matin. Le Tip Top est connu des fêtards qui atterrissent là quand ils ne peuvent plus distinguer une bolognaise d'une carbonara, une nourriture de cantine, la table la moins chère du pays. On y aurait même vu des proches de la famille princière, avec des amis, mais vraiment très tard, à l'heure où les plus acharnés des paparazzi ne suivent plus. Le Tip Top reste ouvert la nuit. C'est au Tip Top qu'on éponge tout, avec ses pizzas bien épaisses à douze euros et ses lasagnes nappées de sauce à la farine. À 20 h 30, l'endroit est encore vide. Édouard et Pénélope se sont installés à la meilleure place, en terrasse.

Pénélope, en quittant Édouard, qui avait un rendez-vous urgent en fin d'après-midi, est partie à pied se promener dans la ville, espérant y trouver des indices, ou identifier la silhouette de cet homme au blouson de daim – leur adversaire. À Édouard, il faut qu'elle montre la photo, qu'elle lui explique.

Un tableau ne peut pas être à la fois faux et authentique. Ils ne seront pas trop de deux conservateurs du patrimoine pour démêler cet écheveau. Elle s'est perdue deux fois dans la ville. Elle ne comprend rien à cet urbanisme, rien n'est au même niveau, il faut entrer dans des immeubles et prendre l'ascenseur pour accéder à la rue qui semblait pourtant communiquer avec ce trottoir qu'elle suivait sagement. Les voitures passent lentement. Elle a failli ne jamais retrouver ni le casino ni l'adresse du Tip Top.

Elle a repéré une vingtaine de caméras, pas cachées du tout, entre les réverbères et les palmiers, et demandé son chemin à un jardinier qui lui a répondu dans un français de prince russe en l'appelant « chère madame ». À Monaco, tout est décalé. Pénélope sent que la principauté commence à beaucoup lui plaire. Dans toutes les vitrines, des portraits du prince et de sa jolie fiancée sont entourés de fleurs. Monet ne pouvait qu'aimer cette cité des glaïeuls, des résédas et des orchidées, ce Giverny-sur-Mer.

Édouard est ulcéré. Il n'avait pas voulu dire à Pénélope qui il attendait après elle, c'était secret, mais il aurait mieux fait de lui demander de rester. Il commande sa bolognaise en bougonnant ; Pénélope s'étouffe : celui qu'il a reçu après elle est Paul Vernochet, l'intermédiaire officiel mandaté pour la vente du Monet, à peine arrivé en principauté, et qui a réservé trois jours à l'hôtel Hermitage – preuve qu'il avait prévu ce voyage, de longue date, à ce moment-là, car l'hôtel est déjà occupé par les invités princiers qui arrivent de partout.

« Je n'aime pas me faire couillonner, et le prince non plus, merdalors !

— Édouard, je ne t'ai jamais vu aussi vulgaire, d'habitude tu dis en entier "Son Altesse sérénissime le prince", calme-toi. Tu es archiviste paléographe, tu es le meilleur historien de la bataille d'Azincourt de ta génération, rien de grave ne peut t'arriver. Raconte. On va t'apporter ton rata.

— Le tableau est bon, on est d'accord. J'ai réuni la somme demandée, plutôt très forte, tu t'imagines. Tout le monde a donné, tous ceux qui travaillent pour le palais, mais aussi tous les amis proches de... du prince. Ils ont été très généreux. Le certificat de l'Institut Wallenstein devrait être prêt pour demain ou après-demain, tout roule, je suis prêt à faire le chèque. Figure-toi que cette crapule de Vernochet, avec son pantalon orange et ses bas de soie mauves, me dit que l'affaire est suspendue.

— On ne juge pas comme ça les gens sur leur apparence. Je te laisse finir. J'ai des choses à te dire.

— Il m'a expliqué pendant une heure que le prix avait été fait amicalement parce que le Monet représente Monaco, et qu'il voulait nous faire plaisir. Mais il a d'un seul coup un autre client, un lièvre qu'il sort de son chapeau, qui veut l'acheter. Je lui ai dit que des vues de Monaco, ici on en a déjà deux, et que donc la série...

— Trois vues du même endroit ne font pas une "série", ce n'est pas comparable à ce que Monet a fait avec ses cathédrales de Rouen...

— Laisse-moi finir, je lui dis que la série on la verra au palais, ou au nouveau musée d'art moderne que la princesse Caroline est en train de créer, qu'il est normal que ce soit une acquisition monégasque. Il m'a répondu que son client s'appelle Sa Grâce l'émir de Barjah. Au palais, on ne le connaît pas l'émir de Barjah, tous les princes du golfe sont "altesses", mais l'émir de Barjah descend du tout premier émir à qui les Anglais ont donné un titre, du coup il tient beaucoup à être "Sa Grâce", comme les ducs et pairs du Royaume-Uni, mais on ne l'a pas invité au mariage pour autant, tu penses...

— Il crée un musée dans le Golfe, on cite toujours son nom comme celui qui veut concurrencer Doha et Abu Dhabi. Je l'ai vu en photo, rondouillard et mystérieux...

— Vernochet bluffe. Il sait que nous sommes à quelques jours du cadeau, qu'on est les pigeons idéaux, il a peut-être même lu la liste de ceux qui ont cotisé, il se dit qu'il aurait dû demander plus cher. Tu veux mon avis, Vernochet est un escroc.

— Je le connais. Il fait son métier, tu ne peux pas le lui reprocher. Il est sympathique.

— Ma pauvre Pénélope. Comme tous les escrocs, il est très sympathique.

— Tu dois d'abord savoir que le tableau qu'il veut vous vendre est un faux. Malgré toutes ces analyses si précises que t'envoie Wallenstein. Un faux pour lequel on a commis, cette semaine, un assassinat. »

3

Le peintre des Brigades du Tigre

Monaco et Paris, dimanche 26 juin 2011

Pénélope a tout de suite appelé Wandrille. Leur vieil ami maître Vernochet, qu'ils croisent depuis toujours dans tous les vernissages, un conteur, un charmeur, un dieu du marteau, a un vrai profil de suspect.

Il est à Monaco, il occupe une chambre à l'Hermitage, la police française ne peut pas l'arrêter sans que ce soit un scandale, d'autant qu'il y a des journalistes partout et qu'il les connaît tous.

Il n'y a d'ailleurs pour le moment aucune preuve contre lui. Pénélope n'a que des soupçons. Si Carolyne Square avait été assassinée pour que le résultat des analyses chimiques et macroscopiques puisse être trafiqué ? Qu'un autre rapport d'analyses parvienne à point nommé des États-Unis ? Un faux rapport au sujet de la toile et des pigments, une fausse photo pour documenter l'œuvre, les deux éléments nécessaires à l'adoubement dans le catalogue officiel se trouveraient réunis. Pénélope entend encore ces mots qui résonnent quand elle ferme les yeux : « On tue à partir de quel chiffre de nos jours ? La mère supérieure de notre couvent ne nous dit pas tout, vous savez... »

Wandrille s'est donné pour but de rencontrer Thomas Wallenstein. Pas facile, il n'accorde aucun rendez-vous, il fuit les journalistes. Wandrille pense que cet homme, qui est le pivot de tout ce qui est lié à Monet, doit pouvoir les aider – à moins que ce ne soit lui, leur adversaire.

Pour le joindre, il hésite encore à jouer son joker. Wallenstein est très lié au monde politique, il prend part aux « dîners du Siècle », on le voit à l'Automobile Club, Wandrille pense que son père, peut-être, peut l'appeler directement...

En attendant l'intervention ministérielle, Wandrille a laissé deux messages à une secrétaire à Paris, envoyé un e-mail, et comme il a des lettres, il a résumé la situation pour Pénélope : « Et nul, sinon l'écho, ne répond à ma voix. »

Thomas Wallenstein doit être averti. Il ne doit pas donner ce certificat. Il ne faut pas, s'il est mouillé dans cette histoire, qu'il puisse dire ensuite qu'il n'avait pas été informé.

Vernochet coupable de meurtre ? Cela devient vraisemblable. Pénélope n'en revient pas, ce voisin de dîner si disert qui pérorait doctement au sujet du surtout de table de Lucien Bonaparte... Marie-Jo et Carolyne avaient donc disparu pour lui échapper. Pour mettre au point une réponse définitive commune au sujet du tableau, sans passer par Wallenstein, pour bloquer tout de suite cette affaire frauduleuse, parce qu'elles savaient que ce Vernochet était en train de les manipuler. Et qu'il jouait suffisamment gros pour être prêt à tout.

*

C'est Dechaume qui, en l'absence de sœur Marie-Jo, est le mieux informé sur les recherches qu'elle était en train de mener. C'est lui qui en sait le plus, lui et peut-être aussi sa chère Paprika – même si Pénélope a eu le sentiment bien net qu'ils ne se disaient pas tout.

Dechaume est seul à Marmottan. Il a décidé d'entreprendre son enquête. Il ne peut pas diriger ce musée sans comprendre ce qui se trame. Cette petite Pénélope l'a un peu déçu, il l'a lancée sur de bonnes pistes, elle ne l'a pas encore rappelé – pourtant la directrice des Musées de France lui a garanti qu'elle était la plus douée pour démêler les affaires compliquées, et que si elle n'était pas conservatrice du patrimoine elle aurait pu ouvrir une agence de détective.

Deux jours déjà et elle n'a donné aucune nouvelle. Elle devait aller à Giverny voir de près ce monstre louche de Fujiwara, elle devait aller rôder du côté de l'Institut de recherches Wallenstein, et rien ne vient.

Il va prendre les choses en main lui-même. Paprika est à son cours d'aquagym, à cette heure le musée est fermé, il erre dans l'exposition, seul, pour faire le point. Il a beaucoup encouragé cette petite souris de sœur Marie-Jo à écrire enfin les huit cents pages qui diront tout sur Claude Monet. Elle est la seule à avoir vu tous les documents, à avoir tout compris. Quinze jours avant ce dîner où elle a disparu, elle était venue travailler au musée, il lui a demandé où elle en était. Elle a simplement répondu : « Il me manque des preuves, il nous faudrait des lettres, des documents, je n'ai que des présomptions. » Si elle n'avait pas disparu, si elle n'avait pas été enlevée mystérieusement et si, tout simplement, elle était partie enquêter dans les autres lieux liés à l'aventure de Monet, à Étretat, à Sandviken en Norvège ou ailleurs... Elle aurait pu aussi aller à Monaco, cela n'aurait pas été absurde. La police est venue l'interroger deux fois : il n'a pas eu grand-chose à dire...

Marie-Jo et lui en ont souvent parlé. La clef de ce qu'il faut bien appeler « la carrière de Claude Monet » – même si l'expression a de quoi scandaliser ceux qui voient en lui le plus pur de tous les peintres, le moins carriériste qui fût – c'est Clemenceau. Leur amitié n'était pas faite que d'admiration mutuelle, elle a peut-être été une machine de guerre, une des plus secrètes qui soit dans la France de 1900.

C'est de cela qu'ils parlaient pendant des heures, ces derniers mois, dans la cuisine du pavillon au fond du jardin, avec Marie-Jo quand elle venait se plonger dans les dossiers d'œuvres, éplucher les livres de comptes et photographier les cartes postales.

C'est de tout cela que Dechaume aurait voulu discuter, avec Carolyne, qui a eu la gorge tranchée.

Il reste debout, devant la commode que surmonte *Impression, soleil levant*. Carolyne. Une si belle apparition, dans sa robe noire, ce soir-là... Il ne l'avait pas invitée uniquement pour la remercier de ses dons à la société des amis. Il s'en veut de ne pas avoir compris plus tôt qu'elle faisait les analyses pour Thomas Wallenstein – et que de sa rencontre avec Marie-Jo pouvait jaillir l'étincelle de la vérité. Carolyne Square ne lui avait jamais parlé de ses liens avec Wallenstein, elle avait respecté sans doute la clause de secret qui figure à son contrat. Avait-elle été simplement une scientifique, capable de déterminer la composition des pigments et d'analyser les toiles et les châssis ? Elle avait nécessairement fait aussi des recherches historiques sur les fournisseurs du peintre, les marchands chez lesquels il avait ses habitudes – et comme elle était américaine, elle avait pu avoir accès à des documents que les chercheurs européens ne connaissent pas, chez les héritiers des collectionneurs de Monet aux États-Unis, parmi lesquels figuraient peut-être des amis de Clemenceau.

Antonin Dechaume s'est assis sur une chaise de gardien. La première lecture possible de leur amitié est purement artistique. Clemenceau, c'était un Américain ! Il était le seul de son époque à parler l'anglais couramment, il avait vécu là-bas en donnant des cours de français dans une institution pour jeunes filles convenables de Hamden, dans le Connecticut. Il a appris là-bas à aimer la République. Il pouvait aider Monet, lui parler du Nouveau Monde et de ses amateurs d'art.

Quand, à Londres, le peintre Daubigny lui fait rencontrer le marchand Paul Durand-Ruel, Monet ne comprend pas tout de suite que ce sera le début de sa conquête de l'Amérique. L'actualité d'alors, c'est la guerre franco-prussienne – et la mort héroïque de son ami Bazille au combat de Beaune-la-Rolande. Clemenceau est là pour lui expliquer qu'il ne deviendra un géant que s'il fait affaire avec les Américains, tous ces nouveaux collectionneurs.

En 1886, Durand-Ruel organise, à New York, une exposition des «impressionnistes de Paris». Monet, exaspéré, trouve qu'il ne fait pas grand-chose pour le défendre à Paris. Il n'a pas encore compris. Clemenceau, lui, voit tout de suite quel parti on peut tirer de cette affaire. Il est évidemment celui qui le lui dit. Sœur Marie-Jo croit à cette hypothèse, mais ajoute toujours qu'il faudrait l'étayer un peu, avec des documents.

En 1891, quand il expose la série des meules, les Américains commencent vraiment à faire monter la cote. Chaque toile vaut quatre ou cinq mille francs, six mille pour certaines. C'est le début de la richesse. Mais Monet va-t-il s'en contenter ? Devant ses amis crève-la-faim, il fait mine d'être gêné par ces prix, devant son marchand, il proteste et se plaint que ce n'est pas assez. À Clemenceau, il raconte tout.

En 1895, une cathédrale, ce sera douze mille ! Clemenceau, dans ces années, devient plus proche de lui. C'est sa traversée du désert. Les deux hommes deviennent inséparables. Clemenceau a du temps, il écrit des articles à la gloire de Monet dans le journal _La Justice_, et Monet le remercie par lettre, ça laisse enfin quelques traces dans les archives.

L'idée de sœur Marie-Jo c'est que ce Clemenceau qui n'est pas encore au pouvoir passe son temps à construire les réseaux qui vont lui être utiles, parce qu'il va devenir l'homme le plus puissant de France et qu'il se doit d'avoir des pions un peu partout. Rien de bien original, pense Dechaume, qui a connu François Mitterrand dans ses mauvaises années – bien avant que, devenu président, celui-ci ne commande son buste au sculpteur.

En 1906, Clemenceau forme son ministère. Il est enfin au pouvoir. Ministre de l'Intérieur, six mois plus tôt, à soixante-cinq ans, le voici président du Conseil. Le colonel Piquart, le héros de l'affaire Dreyfus, devenu général entre-temps, est nommé ministre de la Guerre. L'époque a changé. Les rebelles d'autrefois sont aux commandes. Clemenceau s'appuie sur ces hommes d'élite qui sont devenus très célèbres, les «Brigades du Tigre». Il a aussi toute une série d'agents qu'il envoie un peu partout et qui lui rédigent des notes et des rapports.

Monet a-t-il pu être l'un d'eux? L'homme qui par l'intermédiaire de son marchand Durand-Ruel pouvait faire passer des messages aux Américains? Ce serait capital.

L'entrée en guerre des Américains en 1917 a été un tournant dans la guerre. Si c'était grâce aux messages que Monet pouvait transmettre qu'ils étaient arrivés un matin, avec les Alliés, sur la tombe de La Fayette au cimetière de Picpus? Si Monet avait sauvé la France? S'il avait été l'homme qu'on pouvait envoyer à Londres sans qu'il fût soupçonné de faire de l'espionnage ou une quelconque politique? Le peintre disposait de la «couverture» idéale pour agir, rencontrer les princes et les diplomates, les écrivains et les banquiers. Au passage, il avait sans doute aussi récolté beaucoup d'argent.

4

« On ne remercie pas
un rayon de soleil »

Paris, dimanche 26 juin 2011

Monet a offert à Clemenceau un tableau peint dans la Creuse, un rocher solitaire auquel il a donné un titre simple : *Le Bloc*.

Le Tigre écrit : « Il n'y aurait rien de si bête que de vous remercier. On ne remercie pas un rayon de soleil. »

Qui irait soupçonner un rayon de soleil ? Un rayon de soleil, autant dire celui qui va partout et qu'on ne remarque pas, l'homme invisible. En 1908, Clemenceau s'est installé près de Gisors, dans une jolie maison, à Bernouville. Giverny n'est pas bien loin. Les deux hommes se parlent. C'est pour cela que sœur Marie-Jo n'arrive pas à trouver les lettres. Elle doit concentrer ses recherches sur les moments où Monet s'éloigne, c'est alors qu'ils doivent s'écrire. Ces lettres, on les découvrira. Elles doivent fourmiller d'informations, et elles sont sans doute aussi bien utiles pour la chronologie des œuvres, par exemple pour y voir clair dans l'embrouillamini des tableaux peints sur la Tamise pendant les différents voyages du peintre. Et si Marie-Jo avait localisé les lettres qu'elle cherche depuis si longtemps ? Si c'était pour cela qu'elle avait disparu ? Mais cela n'explique pas qu'on ait égorgé Carolyne...

L'intuition d'Antonin Dechaume c'est pourtant qu'on doit chercher du côté des secrets de cette vie – qu'on présente toujours comme entièrement vouée à l'art...

Et l'affaire de la Pépinière ? C'est dans les mêmes années... Rien n'est clair. Un fait divers, rien de plus ? Dechaume gamberge en se penchant pour la centième fois sur les lunettes du maître. Il ouvre la vitrine avec sa petite clef. Il les met. Il n'y voit rien. Tout se brouille encore plus.

Trente-trois mois après son arrivée aux affaires, le 20 juillet 1909, Clemenceau chute. Il part, en 1910 : l'Argentine, l'Uruguay, le Brésil, une tournée de conférences qui lui donne une vraie envergure internationale. Monet peint en silence, ils ne se voient pas, s'écrivent-ils ? Les collectionneurs américains envisagent même de faire venir Monet, qu'il puisse peindre sur place, pour eux seuls. Un projet de voyage de l'artiste aux États-Unis est lancé.

Ensuite, la guerre éclate. En décembre 1914, Clemenceau vient à Giverny. Tout va mal. Les légumes du jardin sont envoyés à quelques blessés recueillis au village. En 1915, au Sénat, Clemenceau prend la tête de la commission de l'armée et de celle des affaires étrangères. Il est l'homme providentiel, tous ses réseaux vont lui servir, les hommes dévoués des Brigades du Tigre – et ses espions.

Pendant la guerre, Monet obtient des passe-droits insensés, qu'on n'a aucune raison d'accorder à un artiste. Alors qu'on manque de tout, il obtient du ministre Clémentel un sauf-conduit pour des caisses – pour ses châssis, dit-il – alors que les communications sont bloquées partout. Qu'y avait-il vraiment dans ces caisses ?

Il fait acheminer les poutrelles qui vont servir à édifier l'atelier des Nymphéas. Il bénéficie, dans la République en guerre, d'un statut à part. Selon Dechaume, on le récompense. Il continue à faire passer des messages, il transmet peut-être des informations, il joue un vrai rôle d'espion, Giverny est la couverture idéale pour la «boîte aux lettres» de Clemenceau. Si Monet avait joué un rôle capital durant le conflit ? Sans rien dire, dans le secret le plus total, en souriant dans sa barbe. Dechaume y croit. La visite de novembre 1918 ne s'explique que comme ça. Il a joué un rôle, avant la guerre et pendant la guerre. Mais quel rôle ? À Londres ? En Norvège ? À Monaco ?

5

Un petit déjeuner de rêve
à l'hôtel Hermitage

Monaco, lundi 27 juin 2011

Pénélope est décidée à affronter son adversaire. Elle a pris son air le plus assuré dans le tourniquet de l'hôtel Hermitage. Pas un regard vers la réception aux jolies boiseries claires, elle s'est engagée au hasard vers la gauche, comme une habituée, en suivant un écriteau sur lequel il est écrit « Spa ». Elle avise la première femme de chambre qui fait rouler son chariot en silence sur la moquette épaisse et, de l'air le plus naturel, lui demande où se trouve la terrasse du petit déjeuner. Pendant la nuit, qu'elle a passée sans Wandrille mais dans leur petit hôtel de Villefranche, elle a élaboré une stratégie offensive.

Face à la mer, avec *Nice-matin* déplié devant lui, maître Vernochet, en polo Lacoste rouge, beurre ses toasts. Il pense aux paroles de l'hymne national monégasque : « Ciel toujours pur, rives toujours fleuries », il fredonne, il se lève pour aller chercher un jus d'orange pressé. La vue est dégagée, les yachts sont plus nombreux encore que la veille, c'est le miroitement des bateaux qui, chez Homère, arrivent sous les murs de Troie. Il se réjouit que la fréquentation des palaces puisse ainsi réveiller les souvenirs de ses études classiques chez les bons pères.

« Pénélope ? Vous êtes ici ? Avec Wandrille ? Vous êtes invités au mariage vous aussi, c'est son père qui vous a pris dans ses bagages, notre cher ministre ?

— Non, je ne fais que passer, le Mobilier national prépare une exposition au Grimaldi Forum, des tapisseries d'Aubusson venues du monde entier...

— Mais ça va être sublimissime. Racontez-moi tout. Asseyez-vous à ma table. Quoi de neuf depuis cet incroyable dîner Monet ?

— Monet est venu, ici, à Monaco, je crois...

— Je suis spécialiste de la question, figurez-vous que je sers d'intermédiaire pour un tableau. Allez vous servir, je vous raconte tout. »

L'aplomb de Vernochet est sans égal, se dit Pénélope. Elle demande un double expresso, du jus de goyave, et avise la part de gâteau au chocolat que Vernochet s'était préparée, la lui pique, et écoute.

Elle s'était demandé comment elle allait aborder le sujet, elle n'imaginait pas qu'il en parlerait le premier. Elle n'imaginait pas non plus que Vernochet pouvait se révéler intarissable au sujet des vacances sur la Côte d'Azur de son cher artiste.

« Lors de son premier séjour sur la Côte, Monet a travaillé à sept études en même temps. Il a tant aimé cette lumière. Il s'était juré de revenir. Prenez de la confiture de citrons, spécialité de la maison.

— Il n'est pas venu souvent ?

— Non, mais du second séjour, solitaire et secret, il a rapporté une caisse entière de tableaux, expédiée à Giverny. Il a peint à Bordighera et a même fait plusieurs fois la navette entre France et Italie. Il lui a fallu passer la frontière de nuit, prétend-il, dans une lettre, pour éviter la douane italienne. Il aurait failli être arrêté à Gênes...

— Comme si Monet avait dans ses bagages des choses compromettantes !

— Dans ses lettres, il semble rire lui-même de son aventure. Monet contrebandier !

— Pourquoi avait-il été arrêté ?

— Vous savez, ma petite Pénélope, que Dechaume m'a dit l'autre jour que c'était peut-être parce qu'on le soupçonnait d'activités d'espionnage. Rubens a bien été le plus grand espion de son temps ! Un peintre n'est jamais soupçonné. Il peut rencontrer qui il veut, il a le droit de tout observer, il remplit des carnets sans que cela inquiète quiconque, il parle aux puissants comme aux pauvres. »

Vernochet explique alors à Pénélope qu'au temps de Monet le prince de Monaco a joué un rôle historique capital. Albert Ier, qui a servi de modèle à Jules Verne pour son capitaine Nemo, le richissime anarchiste, est un génie. Il est le plus grand explorateur de son époque, il a fait les premières expériences de sous-marin scientifique, sur son yacht l'*Hirondelle* il a parcouru toutes les mers, il est surtout un homme aux idées progressistes. Il a défendu Dreyfus, il est allé voir le président Félix Faure. Alors que la France se divisait, le prince de Monaco était allé chercher la preuve de l'innocence de Dreyfus à la meilleure des sources, que nul n'osait interroger. Il était allé à Berlin et il avait posé la question au Kaiser, qui lui avait répondu que jamais il n'avait eu dans ses services secrets de capitaine Alfred Dreyfus. Monaco avait correspondu avec le malheureux, il avait été voir Félix Faure, le jour même où, à l'Élysée, le président de la République fut victime d'un arrêt cardiaque. Car après le prince de Monaco, il avait reçu Meg Steinheil – ce qui avait permis à Clemenceau de faire d'impérissables plaisanteries sur « la connaissance du président » qui avait rêvé d'être César.

Albert Ier avait fait édifier, dans les années 1910, ce qui est encore aujourd'hui le plus grand monument historique de Monaco, cet extravagant Musée océanographique, bâti à flanc de rocher, qui tient du laboratoire, du musée, de l'aquarium géant...

« Vous savez à quoi cela ressemble, Pénélope, le Musée océanographique de Monaco ? Vous y êtes allée ? Ces grandes vitrines de métal qui ouvrent sur des panoramas où, au milieu des algues et des rochers bleus, s'ébattent des requins et des murènes ? Cela ressemble bien sûr au *Nautilus* de *Vingt Mille Lieues sous les mers*, tout le monde le voit, mais cela ressemble aussi aux *Nymphéas* de l'Orangerie, vous y aviez déjà pensé ? C'est frappant. C'est une œuvre d'art totale, un monde en soi et pour soi, un sous-marin à quai, un panorama digne de Giverny ! Je suis persuadé, Pénélope, que le petit archiviste du palais sait à ce sujet des choses que personne n'a jamais écrites. Je pense qu'il veut à toutes forces acheter le Monet que je leur propose parce qu'il y a un lien entre Monet et Albert Ier de Monaco.

— Aucun historien de Monet n'en a parlé.

— Monet est un homme de gauche, affranchi de tout, Albert Ier aussi au fond. S'il n'avait pas été prince souverain, il aurait été anarchiste. »

Un triangle se dessine, que Vernochet trace à la pointe de son couteau au-dessus des nouveaux toasts grillés que le maître d'hôtel apporte : Clemenceau, Monet, Albert Ier de Monaco. Albert Ier qui a joué un vrai rôle international, une des plus grandes intelligences du siècle, qui parce qu'il était chef d'État pouvait, quand il voulait, être reçu par le pape ou par le Kaiser, qui donnait des rendez-vous à tout le monde politique français dans son hôtel parisien de l'avenue du Président-Wilson – un bâtiment qui reste lié à l'histoire de la diplomatie secrète au XXe siècle puisque c'est aujourd'hui le siège de la nonciature apostolique à Paris. Et Vernochet ajoute encore du beurre.

« Pénélope, il faut que je vous demande conseil... »

6

Pénélope fait l'idiote

Monaco, lundi 27 juin 2011

Elle se tait. Fait semblant de regarder la mer. S'il est coupable, il cache son jeu en véritable expert. Il a surtout compris que pour lutter avec Pénélope il fallait l'éblouir. Elle fléchit, il le sent. Elle s'en veut.

Elle le dévisage. Elle se force à penser à des choses qui vont donner à son visage toutes les apparences de l'innocence et de la bienveillance : si cet homme qui est la bonté même, et le plus doux des fantaisistes, est un assassin, elle veut bien être jetée aux requins, dans la grande fosse du Musée océanographique. Elle écoute.

Vernochet explique en détail qu'il a de grandes inquiétudes au sujet de ce tableau qu'on lui a demandé de vendre. D'abord il n'a jamais vu son client, ce qui peut arriver mais n'est pas si fréquent. La proposition est arrivée par un courtier de ses amis, qui lui a transmis un numéro de téléphone correspondant à une société de gardiennage et de surveillance qui dépend d'une compagnie d'assurances helvète.

Ensuite, Thomas Wallenstein, qui n'est pas à proprement parler un ami, mais à qui il téléphone de temps en temps, a éludé toutes ses questions, impossible avant ces derniers jours de lui faire donner son sentiment sur l'œuvre. Comme si Wallenstein lui cachait des choses.

Il a eu aussi un étrange coup de fil de Dechaume, qui lui disait d'être prudent. Il n'a pas bien compris, le sculpteur lui a dit que cette semaine était dangereuse, qu'il devait faire attention à lui. Il a lu comme tout le monde ce qui concerne cette Carolyne Square, assassinée, avec laquelle ils ont dîné pour le vernissage de l'exposition. Il est inquiet.

Le tableau est très beau, il l'avait vu l'an dernier aux Ports Francs de Genève, mais on ne lui connaît aucune provenance, aucun nom de collectionneur important n'est attaché à son histoire, il ne figure dans aucun des catalogues de ventes publiques qu'il a consultés. Pénélope hoche la tête, avec l'air de la parfaite imbécile.

En réalité, Vernochet préférerait que ce soit l'émir de Barjah qui achète, ce ne serait pas son premier tableau douteux. La collection des princes de Monaco est réduite mais de bonne qualité, les deux Monet qui sont déjà là sont très beaux, il y a de jolis petits Bruegel, de beaux portraits, le commissaire-priseur a plutôt tenté de dissuader le jeune archiviste de faire cet achat. Le commissaire-priseur n'aura le droit de servir d'intermédiaire dans ce genre de «vente de gré à gré» que lorsque la loi le permettra, en septembre de cette année, puisque ce sera la fin d'une vraie hypocrisie française, précise-t-il. Mais il veut jouer le rôle d'un intermédiaire sérieux, de confiance. Il a essayé de dissuader le conservateur monégasque, mais sans desservir son client, sans « griller » l'œuvre – et bien sûr, pense Pénélope, en tenant compte du pourcentage qui sera le sien.

Si Vernochet est bien le coupable, les mobiles ne lui manqueraient pas – et le plus évident : vendre une fortune ce Monet, à un client célèbre, en comptant sur l'euphorie du mariage princier. Il élimine, ou fait éliminer par un sbire – cet homme au blouson de daim – les deux personnes susceptibles de tout faire échouer, Carolyne et Marie-Jo. Mais en même temps, que de risques. Vernochet est prospère, il réussit un ou deux jolis coups chaque année dont tout le milieu fait des gorges chaudes – et que la presse admire –, pourquoi imaginer qu'à son âge il commence une carrière d'assassin ?

« Dans cette affaire, le coupable, je le vois, Pénélope, mais personne n'osera l'arrêter, c'est un homme trop puissant. Je vais être franc avec vous. Il s'appelle Thomas Wallenstein. Un monstre froid, qui sait exactement combien il faut payer pour écarter définitivement un pion gênant dans une affaire. J'ai voulu aller revoir le tableau à Genève, le lendemain de notre dîner, j'y suis allé deux jours, et je n'ai pas pu y avoir accès. Le tableau était, à ce que m'ont répondu les responsables de ces containers géants qui sont le plus grand musée d'art d'Europe, aux Ports Francs, indisponible. Il avait été transporté à l'Institut Wallenstein sur ordre de son propriétaire pour analyses complémentaires, à Paris, et on ne me l'avait pas dit, alors que j'avais annoncé ma visite. J'ai passé deux jours pour rien au bord du lac Léman, mais bon j'ai retrouvé plein d'amis, je suis allé voir une exposition Corot au musée Rath, je n'ai pas perdu mon temps...»

Vernochet venait de se disculper. Le jour où Carolyne Square était assassinée, il n'était pas à Paris, et il y aurait des témoins pour le dire.

Sauf si celui qui a égorgé était l'homme au blouson, celui qui a enlevé Marie-Jo, celui qu'elle cherche ici... Si l'homme au blouson était le tueur payé par Vernochet... Elle n'y croit pas. Elle a mis Vernochet en confiance, elle a fait l'idiote, il a parlé.

Pénélope a du coup presque honte d'avoir suspecté ce vieil ami. Vernochet est sans scrupules, il fait des affaires, il jouit de la vie, mais il n'a rien d'un assassin. Aux assises, se serait pour elle une «intime conviction», bien solide.

Il n'en avait pas moins porté une accusation directe, et donné un nom...

7

Derrière la façade
de l'Institut Wallenstein

Paris, lundi 27 juin 2011

L'immeuble de la rue de Tilsitt est un mystère. Cet anneau qui entoure l'Arc de Triomphe est ponctué d'hôtels particuliers qui ont été la gloire de la IIIe République et sont devenus des bureaux. Mais l'immeuble Wallenstein, avec ses persiennes de métal toujours fermées et son absence de plaque sur la façade, a su devenir invisible. Tout le monde passe devant sans le remarquer.

Thomas Wallenstein peut-il être le coupable ? Wandrille le croit. La déduction a été facile.

Les bonnes analyses ont dû lui être transmises, il a vu la photo et écrit sur sa carte : « OK pour moi » avant de renvoyer le tout à Picpus pour analyses

complémentaires. A-t-il vu le tableau de ses propres
yeux ? Sait-il qui en est le propriétaire ? Il est très
probable, se dit Wandrille, en sonnant à l'unique
bouton de cuivre qui se trouve sous l'interphone,
qu'il va tout nier et dire qu'il n'a pas regardé tout
cela de très près, ou qu'il ne s'en souvient pas, qu'il
est occupé par d'autres affaires à Londres ou à New
York. Aujourd'hui, l'empire Wallenstein, ce n'est pas
seulement un prodigieux stock de tableaux anciens,
c'est aussi une collection de voitures de course, la fabrication industrielle des éoliennes qu'on installe partout
en Europe. Thomas Wallenstein, issu de deux générations de grands historiens de l'art, est d'abord un chef
d'entreprise discret qui réussit tout.

Cette affaire est forcément pour lui plus qu'un
incident. Ce qui compte à ses yeux, c'est la fiabilité
absolue de ces grands indicateurs des chemins de fer
du monde de l'art que sont ces immenses « catalogues
raisonnés » d'artistes, qu'il confie à des savants incor-
ruptibles. Pour Monet, il n'a jamais voulu révéler qui
étaient ses enquêteurs. Il ne doit avoir qu'un seul souci
en ce moment : le remplacement de Carolyne Square…
Il ne peut pas l'avoir fait assassiner. En revanche, il peut
avoir quelques idées sur un possible meurtrier. Et si
quelqu'un a des nouvelles de la religieuse enlevée, ce
ne peut être que lui.

Un sphinx, c'est ce qu'a tout de suite pensé Wandrille.
Le bureau n'a pas changé depuis les années 1930, murs
de parchemin, portes d'acajou, lustre en bronze Art
déco, au-dessus d'une console deux photos Harcourt,
le père et le grand-père. Entre les fenêtres, un grand
paysage de Seurat.

Derrière ses lunettes d'or, Thomas Wallenstein, cheveux poivre et sel de jeune sportif impeccablement coiffés et coupés court, costume Cifonelli – Wandrille, même depuis qu'il a adopté le dégriffé, reste un expert –, a tout du play-boy sérieux qui a su bien vieillir.

Cordial, dès l'abord, il n'ignore pas, lui qui fuit par principe les médias, qu'il accueille chez lui le fils du ministre des Affaires étrangères. Wandrille a mis une pochette blanche, discret rappel...

Thomas Wallenstein est peut-être devenu un homme d'affaires, il tient à montrer à ce jeune journaliste qu'il n'en est pas moins un excellent historien de l'art.

Pour montrer sa passion à Wandrille, il l'embarque dans une grande discussion sur Monet et Clemenceau, que Wandrille suit et relance avec maestria, sachant bien où il amènera tôt ou tard son interlocuteur...

Ils s'installent dans de grands fauteuils de cuir dessinés par Jean-Michel Frank, tout ce dont Wandrille a toujours rêvé, le mobilier le plus élégant qui soit.

Wallenstein attaque. Sa première visite aux *Nymphéas* de l'Orangerie date de ses deux ans. Enfant, on l'y conduisait très souvent, c'était la seule chose qui calmait ses colères et ses crises de larmes. Depuis, il a beaucoup réfléchi à cet univers pictural unique. Pourquoi, après la mythique visite du Tigre à Giverny, les négociations pour les *Nymphéas* ont-elles duré si longtemps ? À l'été 1920, rien n'est encore décidé. Monet veut bien donner à la France, mais «sous réserve d'usufruit», à condition de pouvoir vivre ses derniers jours au milieu de ses dernières toiles. Le critique Arsène Alexandre s'entremet ensuite, il entraîne à Giverny Paul Léon, le secrétaire d'État aux Beaux-Arts – Wallenstein donne tous les noms comme si Wandrille les connaissait depuis toujours –, qui, enthousiasmé, demande qu'on construise un bâtiment pour abriter ce qu'il appelle « un panorama ». Wallenstein vit depuis l'enfance avec les amis de Monet, il parle d'eux comme s'ils étaient des contemporains.

« Vous pourrez écrire ça, dans *Jardins Jardins*, parce que c'est vrai. C'est ma première interview, vous avez de la chance : je ne mens jamais. »

Les fonctionnaires des Beaux-Arts imaginent alors un absurde temple rond, dédié à la nature, posé dans les jardins de l'hôtel Biron – devenu depuis peu le musée Rodin. Monet, ça ne lui plaît pas.

Wandrille veut comprendre pourquoi ces toiles de la dernière période de Monet sont devenues aujourd'hui les plus recherchées. Wallenstein est allé jusqu'à une étagère en laque de Dunand chercher les volumes du grand catalogue, et il les feuillette avec respect. Il montre à Wandrille les extraits des lettres du peintre que son grand-père avait transcrites.

Ces peintures, pour l'artiste, c'était un combat, semblable à celui des poilus dans les tranchées. « Cela me cause plus d'ennui que cela ne vaut... », a écrit Monet, épuisé, furieux de ne plus pouvoir peindre avec l'élan d'autrefois, découragé et dépressif. Il dit à Alice que la peinture le dégoûte. Il sent que tous veulent transformer son dernier chef-d'œuvre en une attraction de foire : une salle ronde où le public aurait l'illusion de se trouver, en plein Paris, sur le pont japonais de Giverny. Comme le panorama de Rezonville donnait l'illusion d'être au milieu d'une bataille de la guerre de

1870, face aux Prussiens. Ils n'ont rien compris. Son œuvre n'a rien à voir avec ce genre de cirque !

Wallenstein feuillette le livre de son grand-père. Monet se plaint à tout le monde, il trouve que l'administration des Beaux-Arts ne veut pas payer assez cher pour le bâtiment. Il explose. Clemenceau après une lettre bien salée lui répond : « En recevant votre dépêche, je me suis dit : "Bon, en s'asseyant, il se sera enfoncé un clou dans la fesse." » Rebondissement : les deux amis se brouillent. Blanche Monet, la fille adoptive, les réconcilie. En 1925, miracle, Monet a retrouvé la vue. Il peint comme jamais et traite Clemenceau de bourrique : « Vous la Vendée, moi l'Armorique, nous sommes des Gaulois, les fils de ceux qui n'ont pas capitulé devant César ! »

« Vous comprenez mieux pourquoi les Français ont aimé Monet, c'est Astérix ! C'est ça que j'admire, c'est l'énergie du vieil homme, sa résistance. Au début de 1926 les "grandes décorations" sont terminées. Il s'est battu pendant sept ans, il a traversé la Grande Guerre, il a vaincu la cataracte et dominé la tremblote, il a fumé des milliers de cigarettes, il a peint deux cent cinquante toiles avec des nymphéas, il a insulté des secrétaires d'État et refusé les propositions de l'Académie des beaux-arts qui voulait l'accueillir, il a boudé Clemenceau et failli renvoyer sa cuisinière, mais ça y est, ils se sont réconciliés, c'est fini, il rit, il peut mourir. »

Que faisait Thomas Wallenstein le soir du dîner à Marmottan ? Pourquoi n'y assistait-il pas, alors qu'il est presque toujours présent aux grandes expositions consacrées à Monet ? Wandrille a décidé de profiter de l'exaltation brillante de la dernière tirade de son hôte pour lui soutirer quelques informations, dans l'euphorie.

Avait-il deviné que Dechaume réunirait ce soir-là ses deux spécialistes, et qu'elles feraient connaissance – malgré son interdiction formelle ? Il aimerait le lui demander, mais ce serait dévoiler ses cartes.

Wandrille n'ose pas aller aussi loin, il sait qu'il n'a aucun intérêt à montrer qu'il en sait aussi long. Il fait ce qu'il aime faire par-dessus tout, et que Pénélope lui a enseigné : il prend son air de mondain imbécile mais attachant, il lance un regard admiratif, il écoute.

« Selon moi, Wandrille – Wallenstein passe vite au prénom, à l'américaine –, Antonin Dechaume notre cher plus grand sculpteur français vivant nous ment, à tous. Il en sait beaucoup plus qu'il ne dit. La police a d'ailleurs demandé à le voir deux fois. Et il a pris l'initiative de parler au *Figaro*, pour que sa version des faits soit publiée, vous ne trouvez pas cela bizarre ? Vous avez lu l'article, sorti très vite.

— Oui.

— Lors de sa première audition, la police a dû écouter son boniment de vieil homme de goût et le laisser partir en le remerciant. Ensuite, les enquêteurs ont écouté les potins et appris ce que tout le monde sait à Paris…

— Pardonnez-moi, j'ai longtemps vécu à Neuilly, je ne sais rien.

— Ah bon, à Neuilly ?

— Non, je plaisantais. J'ai fait une terminale au lycée Saint-James. Mais je ne sais rien, ça c'est vrai.

— J'ai commencé à vous cerner quand j'ai vu votre jolie MG, couleur parfaite, c'est le bleu d'origine. Vous l'avez garée juste en face, j'adore regarder la rue de Tilsitt avec nos deux caméras de sécurité. On est obligé de tout filmer à cause du stock de tableaux. Une grande partie est ici, dans les caves, le reste, je ne vous dirai pas où, si vous aviez l'idée d'en informer les lecteurs de *Jardins Jardins* ! Dechaume, ce n'est pas vraiment le milieu de vos parents, c'est vrai. Votre père c'est un pur politique, je veux dire un grand politique. Je parle souvent avec lui au dîner du Siècle, heureusement qu'il est là de temps en temps, c'est d'un ennui, quand on pense à ces magazines qui croient que c'est le cénacle secret du pouvoir en France, les pauvres, s'ils écoutaient ces conversations consternantes, ce concentré de raseurs qui font leur café du commerce... Dechaume, pour tout vous dire, a des maîtresses. Il a en particulier depuis quatre ans une maîtresse américaine, par ma faute, et je n'avais pas vu les choses venir...

— Il était l'amant de Carolyne Square ?

— Il aurait dû vous le dire. J'espère qu'il a fini par le notifier à la police, ça peut être utile à l'enquête. Carolyne me racontait tout. Quand je pense que je devais la retrouver au Cercle, j'étais en retard, mon avion était parti de New York deux heures après l'heure prévue... Vous êtes membre du Cercle je crois, Wandrille, vous aussi, c'est bien, n'est-ce pas, idéal pour le sport ? On ne s'y est jamais croisés. J'avoue que je n'ai pas le temps d'y aller aussi souvent que je voudrais, je suis toujours en voyage, ou chez moi à New York. J'aurais dû être sur les lieux quand on l'a... Je m'en voudrai toute ma vie. C'était une fille formidable, Dechaume avait de la chance. Sa femme fermait les yeux, elle en avait pris

son parti. Elle invitait quelquefois Carolyne à prendre
le thé à Marmottan, dans le pavillon du fond du jardin.
Paprika Dechaume est une femme intelligente, les
années glissent sur elle. Elle joue fin. Je crois même
qu'elle aimait sincèrement Carolyne, elle l'avait intégrée
à la famille... Un peu comme Hoschedé avait intégré à
son clan Claude Monet, dont il aimait tant la peinture,
et qui était l'amant de sa femme Alice... Il ne faut
pas juger ces histoires, mais bon, Ernest Hoschedé n'a
pas été égorgé, lui... Dechaume sait qui a tué Carolyne,
j'en suis convaincu. Mais je vous ennuie, Wandrille,
vous n'étiez évidemment pas venu pour parler de
cette affaire...»

8

Après les crocodiles, les requins

Monaco, lundi 27 juin 2011

Il n'y a jamais de longues enquêtes à Monaco. Les deux personnes recherchées n'ont pas été très prudentes, d'ailleurs la prudence n'aurait servi à rien : pas moins de six caméras de surveillance ont filmé leurs moindres faits et gestes.

Sur les écrans, au PC de sécurité, ils avaient l'air calme et avançaient lentement, à pas mesurés. Le plus surprenant, explique Édouard à Pénélope au téléphone, c'est leur trajet : « Mon cher collègue le colonel de la garde, que tu as vu, vient de m'informer : comme il s'agit de la sécurité du mariage, la police l'a appelé. L'homme en blouson de daim, soutenant une femme titubante style bonne sœur en civil, est sorti de la Salle Garnier par la grande porte. Ils se sont dirigés vers l'arrêt de bus de la ligne 1. Ils ont été filmés dans le bus, il a assis sa compagne, acheté deux tickets...

— Au fait, Édouard, crie Pénélope, c'est peut-être une question de vie ou de mort. C'est bien qu'ils aient acheté des tickets de bus, mais où est-ce qu'on les perd ?

— On ne perd jamais personne ici. Ils sont descendus au terminus, l'arrêt "Palais", et de là on les a en plein écran...

— Où ?

— ... entrant au Palais de la Mer, autrement dit le Musée océanographique. Ils ont emprunté le parcours de tous les touristes qui viennent passer une journée à Monaco. Ils se sont perdus volontairement dans le flot des enfants et des visiteurs qui entraient à cette heure-là pour voir les poissons... Depuis, ils ne semblent pas être sortis de la nasse.

— Édouard, tu prends avec toi ton colonel et autant de gardes d'opérette qu'il te faudra et on se rejoint à ta grande pataugeoire. »

À deux pas du palais princier, c'est l'heure du déjeuner pour les grands requins dont l'ombre se faufile entre les algues géantes ramenées par le commandant Cousteau de son exploration à la recherche de l'Atlantide.

Édouard a retrouvé Pénélope, dix minutes plus tard, devant la façade du musée. Il a un journal à la main, qui parle de l'affaire du meurtre du Cercle. La police n'a rien trouvé. Les vingt-quatre suspects n'ont aucun mobile, aucun de ceux qui étaient présents dans le bâtiment du boulevard Saint-Germain n'a pu être confondu : il se confirme que tout le monde a vu tout le monde, et a plus ou moins laissé des empreintes, chacun sert d'alibi à un autre. L'examen de la malheureuse montre qu'elle ne s'est pas du tout débattue, comme si elle avait accepté ou désiré cette mort – ou qu'elle connaissait le visage de son assassin. Pour Pénélope, aucune information nouvelle.

Le rêve de pierre d'Albert Ier de Monaco est intact. Le Musée océanographique vient d'être restauré et il a retrouvé ses splendeurs. Pénélope se reproche de remarquer les coquillages sculptés du grand escalier, les fameux lustres en forme de méduse au-dessus des dizaines de visiteurs qui n'imaginent pas que le plus grand danger n'est peut-être pas, en ce moment, dans l'aquarium.

Édouard, accompagné du colonel en grand uniforme blanc, se rue chez le directeur; derrière eux, cinq hommes en civil qui sont certainement l'élite de la police du pays.

Dans le bureau du directeur, le mobilier est encore celui du prince Albert Ier – mais à un portemanteau il y a la combinaison de plongée rouge du prince Albert II.

« Se cacher au Musée océanographique, n'y songez même pas, c'est impossible. Pour se cacher dans mon musée, il n'y a qu'un endroit. Je suis le seul à avoir la clef. C'est un lieu que j'ai fait encore visiter le mois dernier à un petit groupe d'amis du musée, les Benefactors, mais qu'on évite de signaler parce que c'est un peu dangereux. Un embarcadère glissant le long du rocher. Entre eux, ceux qui travaillent ici disent "Alcatraz". La clef est là », dit-il en désignant la grande armoire vitrée située derrière lui qui contient une bonne vingtaine d'anneaux accrochés, un buisson de clefs.

Tous se taisent.

« À tout hasard, demande Pénélope, le crochet sans clef, en bas, ça ne serait pas ça, votre Alcatraz ? »

Le directeur est blême. La clef était là ce matin. C'est la seule qui existe.

« Si c'est la seule, alors on défonce la porte, lance Édouard aux cinq policiers, qui sont restés sur le seuil du bureau.

— La difficulté, souligne le directeur, c'est qu'il y a des visiteurs et que la porte se trouve à côté d'un des plus grands aquariums, le bassin des requins. »

Pénélope et Édouard descendent les premiers. Les surveillants de salle s'écartent devant les policiers. On fait évacuer. Les sirènes ont été déclenchées, seule espèce marine qui manquait ici...

Les enfants pleurent dans les pop-corn renversés. Les hommes d'élite laissent un peu à l'arrière le colonel en blanc, on sort les Glock des holsters. Pas le temps de visser les silencieux.

La police française qui est à deux pas, sur la place du Palais, n'a pas été prévenue. On est au bord de l'incident diplomatique. Les Français tiennent à tout savoir cette semaine, tant pis. L'affaire va se régler sous l'autorité des troupes monégasques.

Pénélope les regarde agir. Les hommes ne font aucun bruit. La porte ne cède pas. C'est un étroit vantail blindé, à côté de l'immense mur de verre par lequel on voit passer les monstres.

Un policier vise la serrure. Le directeur l'arrête. Pénélope recule.

« Ne tirez pas, un ricochet sur la paroi des aquariums et vous aurez les grands blancs arrivant dans la pièce. Ils seront difficiles à faire rentrer... »

Un des hommes, la main braquée sur l'arme :
« Elle est épaisse de combien votre paroi, monsieur le
directeur ?

— Elle... est très épaisse... je pense...

— Plus de 500 mm ?

— 575 mm si j'en crois cette brochure informative,
lance Édouard, qui sent qu'il prend du galon. Allez,
messieurs, on tire. »

Il faut qu'un des policiers tire deux fois dans la
serrure pour que la porte de métal cède.

De l'autre côté, une petite pièce en pierre de taille
est percée au sol par le départ d'un escalier en colimaçon, sans rambarde. C'est le passage qui permet
de descendre à flanc de rocher, le long de la façade,
et d'arriver au bas du monument. Ici, pas question
d'ascenseur. Trois hommes descendent.

Le vent de la mer s'engouffre en trombe dans le
passage, chassant les odeurs de cordite. Plus bas se
trouve une chambre, et un débarcadère vertigineux où
arrivait la vedette du prince Albert Ier quand il fuyait
le palais et préférait aller dormir sur son bateau. Avec
la rotonde Garnier, c'est l'autre retraite secrète de
Monaco. Pour connaître ces deux endroits, il faut être
souvent venu ici, et être bien introduit, commente le
directeur un peu effaré.

Les cinq policiers descendent avec calme. Ils arrivent
à un premier palier, qui forme comme un balcon sur
la mer orné de créneaux. Il faut descendre encore.
« Alcatraz », c'est plus bas. L'escalier est remplacé par
des barres de métal moussu fixées dans la muraille entre

lesquelles volent les mouettes. Pénélope, du haut du palier, voit le premier policier qui descend à pic, le long de l'immense monument, palais en forme de falaise.

Plus bas, au ras des flots, deux silhouettes sortent d'une cavité de pierre : un homme en blouson de daim qui tient une femme dans ses bras. Il s'en sert pour se protéger. Lui aussi a une arme.

Pénélope, Édouard et le directeur veulent descendre à leur tour. Le colonel leur fait signe de rester cachés dans l'espèce de mâchicoulis 1900 où ils se sont arrêtés.

« Je le connais, murmure le maître des lieux, glissant un œil en bas. C'est un Américain, il était dans le groupe de ceux à qui j'ai fait visiter ça il y a un mois. Je ne sais plus son nom. C'est lui, aucun doute. Il a énormément donné d'argent pour la restauration des aquariums. Je lui avais tout montré. Il vient souvent. Il se présentait comme un milliardaire écolo. »

Un coup de feu. Pénélope veut regarder mais Édouard la tire en arrière. Ils s'accroupissent, protégés par les créneaux.

Plus bas les deux policiers sont « au contact ». Si on a des morts la semaine du mariage, pense le directeur, il va falloir étouffer l'histoire tout de suite.

Grand silence, bruit du ressac. Pénélope a l'impression que tout se ralentit. Elle ne pense même pas qu'elle est en danger. Elle attend, et cela dure trop. Personne n'a crié. Pas d'autre coup de feu. Une silhouette remonte. C'est un policier.

« On l'a désarmé. Appelez les renforts pour sécuriser le périmètre. Restez à l'abri, monsieur le directeur. La petite dame n'a rien. »

C'est la fin. Ils n'ont pas pu prendre la vedette qui était prête. Sœur Marie-Jo lève les mains au-dessus de sa tête, l'homme au blouson en fait autant.

Pénélope, devant l'aquarium aux requins, donne son bras à la religieuse, elle tente de la rassurer, elle lui dit qu'elles se sont déjà vues, qu'il n'y a plus rien à craindre. Sœur Marie-Jo semble incapable de répondre. Elle garde les yeux fermés. Sa jupe est trempée, elle a dû tomber dans les vagues.

Les hommes de la police française viennent d'arriver, il y a maintenant neuf hommes armés qui encerclent le fugitif et la religieuse.

Pénélope pense à dix choses à la fois. Ils vont enfin le connaître, cet homme au blouson de daim, l'instigateur de cette histoire. Celui qui sciemment tente de vendre ce tableau comme un vrai Monet.

Il est là, face à eux, cinquante-cinq ans, portant beau, avec des mocassins de bateau et une montre de yacht-man, le style parfait du résident monégasque. Rien d'un assassin. Il pourrait être un ami de Vernochet, ou un commensal du couple Dechaume, il pourrait très bien aussi être un client de Wallenstein. Il fuit le regard du directeur du Musée océanographique.

Pénélope ne sait pas s'il faut rompre ce silence. On met les menottes à l'homme, qui se tait toujours. Il avait fallu qu'il s'introduise dans le salon-atelier, le temps de faire ce cliché qui avait trompé tout le monde, et qui avait failli faire entrer au catalogue une œuvre fausse. Y était-il allé lui-même ? Fujiwara avait évoqué une silhouette menue, de petite taille, peut-être féminine. Avait-il agi avec une complice ? Il avait fallu qu'il arrive à faire envoyer à Wallenstein des analyses bidonnées. Qu'il fasse taire sœur Marie-Jo en la faisant venir à Monaco pour l'empêcher de parler pendant que la vente du tableau s'effectuait. Le cercle se refermait sur lui.

Face à eux tous, dans la verte lumière des aquariums, il se redresse, et parle :

« Mon nom est Paul Preston, je suis citoyen américain et résident monégasque depuis cinq ans. Je ne raconterai tout qu'avec mon avocat. Mais je veux d'abord dire que je ne suis ni un voleur ni un assassin. Je suis venu ici pour venger ma femme, Carolyne Square, qui a été égorgée par cette femme qui est ici, que j'étais en train de faire avouer. Je voulais l'entendre tout me dire et ensuite la conduire moi-même à la police. »

Tous se tournent vers la sœur qui esquisse un sourire léonardesque – qui s'efface en un instant.

Un craquement les a fait sursauter : une fissure vient d'apparaître dans la paroi de verre, dans la partie haute de l'aquarium des requins.

9

Alcatraz

Monaco, lundi 27 juin 2011

Enfin, sœur Marie-Jo était là ! Pénélope avait attendu si longtemps le moment de la retrouver. Elle s'attendait à tout sauf à cette accusation.

Le policier qui n'a pas lâché son arme n'hésite pas : « C'est lui qu'on arrête. Elle, vous l'emmenez aussi, mais comme témoin. Monsieur l'archiviste, et vous mademoiselle, vous voulez bien nous accompagner. On va remonter. Vous permettez, monsieur le directeur, qu'on prenne votre bureau pour faire un premier interrogatoire. Ça ne va pas être long. »

Wandrille, aux anges, s'esclaffera quand Pénélope lui racontera tout : heureusement que Marie-Jo n'était pas planquée dans le bassin des orques, elle aurait été indiscernable ! Mais sur le moment, personne ne plaisantait. Le directeur a ordonné qu'on vide de deux mètres la fosse des requins, pour s'occuper de la fissure, une catastrophe.

Le colonel des carabiniers, chargé de la sécurité du prince et de sa famille, était resté en retrait mais sa présence en imposait.

Aux questions de Pénélope, posées à mi-voix, dans l'escalier, Marie-Jo, qui est juste à côté d'elle, se trouble. Elle reste prostrée. Pénélope lui dit à quel point Picpus est un lieu qui lui a laissé une forte impression. Elle dit, dans l'obscurité, qu'elle a vu la mère supérieure, qu'elles sont allées ensemble chercher des indices dans sa cellule. Marie-Jo hoche la tête. Pénélope lui parle de Monet, de Giverny, espérant lui arracher un sourire. La religieuse baisse la tête. Elle ne parle toujours pas.

Soupçonner une bonne sœur de meurtre ? Et pourquoi pas ? Sœur Marie-Josèphe pouvait-elle avoir tué Carolyne Square ? Pénélope aurait dû y penser tout de suite.

Elles n'avaient pas disparu ensemble, ce fameux soir : l'une avait enlevé l'autre... Mais pourquoi l'assassiner le lendemain, et au Cercle ? Personne n'était mieux placé que la bonne sœur experte en art pour faire le faux parfait, ou pour donner des indications à un faussaire. Comme criminelle, au rasoir, elle devait, à l'évidence, être moins douée...

Tout le monde entre dans le grand bureau, on ferme les hautes fenêtres sur la mer. Il y a deux suspects.

Soit ce Paul Preston tente un monstrueux coup de bluff, et il est coupable. Soit il est ce qu'il a l'air d'être, un homme dont on vient d'assassiner la femme – et qui peut être encore aveuglé par le chagrin...

Sous le grand tableau montrant le prince Albert Ier au Spitzberg, le colonel des carabiniers prend enfin la parole. Un des policiers a ouvert un petit ordinateur portable et prend des notes. Le colonel explique qu'on maintiendra en détention Mr. Paul Preston cette nuit, et qu'on attendra qu'il ait désigné un avocat pour recueillir sa déposition. Mais si l'autre suspect veut faire une première déclaration, avant d'être, elle aussi, conduite au poste, c'est possible.

Pénélope retient son souffle. Elle pense que Marie-Jo va se mettre à pleurer et tout avouer. Mais la religieuse se redresse et, d'une voix très claire malgré l'émotion, articule :

«Je tiens à affirmer solennellement mon innocence. Je n'ai jamais tué personne. Je ne sais même pas si ce monsieur est réellement l'époux de Mrs. Square. Je sais qu'elle est morte. Je ne l'avais rencontrée qu'une fois, au dîner où vous étiez ma voisine, mademoiselle.

— Sur quoi portent vos recherches actuelles ? demande Pénélope.

— J'étais venue ici à Monaco pour rencontrer l'archiviste du palais, je veux savoir s'il détient une correspondance entre Claude Monet et Albert Ier de Monaco. Je travaille à une étude historique, je ne suis pas un assassin... Dans cette correspondance, il doit se trouver deux choses, qu'il serait long d'expliquer en détail mais que je peux résumer ainsi : des lettres qui établissent que Monet et le prince ont travaillé ensemble, pour Clemenceau, à plusieurs affaires touchant la diplomatie secrète de cette époque, et par ailleurs des preuves établissant que le prince avait commandé à Monet une série de tableaux, dont celui qui est proposé à la vente cette semaine pourrait être l'élément principal. Je devais rencontrer cet homme, qui m'avait appelée, je ne cherchais que des papiers, parmi lesquels il y en a un, peut-être, qui peut donner beaucoup de valeur à ce tableau que j'ai eu l'occasion de voir, bien peint, lumineux, mais absolument pas "documenté"...»

Il était question d'archives, le colonel, qui n'y comprenait rien, s'est naturellement tourné vers Édouard.

Le jeune archiviste a été très bref, et a foudroyé Marie-Jo d'un regard sans pitié : il est l'homme qui connaît le mieux au monde les archives de Monaco. Il ne s'y trouve pas une seule lettre qui concerne Claude Monet, aucune trace d'une éventuelle correspondance entre le peintre et le prince navigateur. Il a conclu, à l'adresse de Pénélope : «C'est du roman. »

Marie-Jo ne s'est pas démontée. Elle affirme que ces lettres existent. Si Monaco n'a pas de trace des lettres envoyées par Monet au prince, elle sait, elle, que les lettres du prince à Monet ont bien existé.

Elle les a cherchées partout : rien dans ce qu'a légué Michel Monet, rien à Marmottan, rien chez les descendants de la famille Monet-Hoschedé qu'elle est allée trouver un à un.

Elle en est arrivée à la seule conclusion possible : ces lettres sont encore aujourd'hui à Giverny, et personne n'a su les trouver.

Monet avait une correspondance secrète. Elle serait capitale, si on la retrouvait, pour les historiens – et elle permettrait accessoirement d'authentifier ce tableau...

Pénélope sent que le colonel, qui ne semble pas avoir une passion particulière pour la peinture, s'impatiente. Elle murmure qu'elle peut aller à Giverny. Elle ne comprend pas pourquoi la religieuse n'y est pas allée elle-même...

La réponse fuse :

«Celui qui m'a toujours fait barrage s'appelle Kintô Fujiwara. Il ne veut entreprendre aucune recherche. Pour moi, c'est parce qu'il a dû trouver...»

L'entretien s'est clos ainsi, de manière un peu absurde. Les deux suspects ont été conduits séparément au poste central de police de la principauté, juste à côté, et mis aux arrêts. Et les agents qui se trouvaient là, qu'on avait d'abord envoyés à l'assaut dans une affaire d'enlèvement, n'ont pas bien compris comment ils avaient aussi assisté à une arrestation liée à une affaire de meurtre – pour finir par entendre une controverse d'histoire de l'art entre l'archiviste du palais, une conservatrice française, et une religieuse en civil...

En sortant, Pénélope téléphone à Wandrille. Il faut retrouver des documents liés à la commande du tableau et aux contacts secrets entre Monet et le prince Albert Ier. Sœur Marie-Jo a été formelle. Elle n'y a jamais eu accès parce qu'on ne l'a jamais laissée chercher à Giverny. Il doit foncer immédiatement chez Fujiwara et y arriver, même par la force.

Wandrille lui révèle alors l'information qu'il détient et qui remet tout en cause : Thomas Wallenstein vient de lui dire que Carolyne Square était la maîtresse d'Antonin Dechaume.

Ce qui fait de ce Paul Preston, le mari en blouson, un assassin de sa femme assez crédible... S'il s'agissait d'une histoire d'amour qui a mal tourné ? se demande Wandrille. Et Monet ? Il y a bien quelqu'un qui a fait fabriquer un faux tableau, et qui essaye de le vendre...

Pénélope réagit vite. Il y a une troisième possibilité. L'homme au blouson de daim a pu ne pas agir seul. Si on cherche un coupable, tout le monde peut être suspect dans cette affaire. Pourquoi chercher un seul criminel ? Ils pouvaient être deux. Et dès lors tout devient très simple.

Pour Pénélope, la vérité commence à se découvrir, avec une prodigieuse netteté. Le coupable ne peut être que l'homme le plus insoupçonnable qui soit, celui qui incarne une sagesse venue de l'autre côté du monde, Kintô Fujiwara, découvreur des documents secrets. Il a reconstitué la vraie histoire de Monet, y compris son séjour à Monaco. Il a compris aussi que ce gisement d'autographes de Monet sur lequel il est tombé, à Giverny, va sans doute permettre de retrouver des tableaux. Monet parle souvent de son travail dans sa correspondance : si dans ces lettres, comme c'est probable, il signale des tableaux dont on n'a pas la trace, l'idée a pu naître de les faire surgir du néant. Un nouveau tableau, qui déclencherait une bataille d'experts, et à qui ils pourraient, en sortant des lettres inédites, donner un brevet d'authenticité – à condition bien sûr qu'une expertise de laboratoire vienne appuyer cette redécouverte.

Il s'est donc associé à Paul Preston, l'homme qui a accès aux laboratoires «Square Lab» créés par sa femme dans le Connecticut, à côté de leur grande fabrique de meubles. L'homme qui hait avec autant de force sa femme et Antonin Dechaume, et dont le Japonais a dû encore aiguiser les rancœurs. Comment s'étaient-ils rencontrés ? Comment le Japonais avait-il pu savoir que les laboratoires Square travaillaient pour Wallenstein ? Il faudra éclaircir ce point. Le faire parler.

Ces deux hommes ont, ensemble, toutes les armes en main pour assouvir une vengeance parfaite : faire expier à Carolyne sa trahison, faire du faux tableau un vrai doté d'un pedigree, de pièces d'archives et d'analyses chimiques imparables. Le faux tableau qui, une fois vendu, permettra à Paul Preston d'avoir assez d'argent pour disparaître au bout du monde, tandis que Kintô pourra publier enfin, à partir de ces lettres et documents inédits que lui seul possède, le grand livre sur Monet que Dechaume, Wallenstein, et la religieuse de Picpus, ont tous rêvé d'écrire.

Mais le temps presse. Le mariage a lieu samedi. En une heure, Wandrille peut être à Giverny. Si Fujiwara y a vraiment trouvé ce trésor de documents, il ne sera pas facile de les lui faire rendre, et moins encore de lui faire avouer sa culpabilité.

Pénélope se demande si Wandrille peut y arriver seul. Elle ne va pas le mettre au défi, le pauvre, elle va simplement l'appeler à l'aide.

10

Le secret est à Giverny

Giverny, mardi 28 juin 2011

Il fallait faire avouer Kintô Fujiwara. Tout l'accusait. Il avait le mobile, le temps de commettre le meurtre, et, ce qui ne gâte rien, une duplicité désormais avérée servie par un pâle et tendre sourire d'assassin...

« Il y a quelque chose qui ne colle pas dans ton hypothèse, Pénélope, c'est que si Fujiwara avait entrepris de documenter lui-même le faux tableau, il n'aurait pas fait cette photo si maladroite qui laisse voir un morceau d'un tableau qui ne se trouvait pas, du temps de Monet, dans le salon-atelier. Il a en plus été victime d'un cambriolage, ne l'oublie pas.

— Il en a été le seul témoin. Cette histoire ne repose que sur son récit. C'est vrai que je ne comprends pas pourquoi la photo n'a pas été mieux faite, elle a de toute évidence été prise par quelqu'un qui n'avait pas assez bien regardé les vraies photos d'époque de cette pièce... Cette restitution, c'est le Japonais qui en a été le maître d'œuvre, il la connaît mieux que personne, il sait où est la faille. La photo c'est le détail qui ne va pas. Et si Fujiwara a mis la main sur des lettres qui documentent le tableau, à quoi bon ajouter cette fausse preuve par l'image ?

— Il reste que Fujiwara fait barrage. Marie-Jo t'a bien dit qu'il refusait de la laisser venir faire ses recherches à Giverny. Ce n'est pas normal...

— Tu dois comprendre pourquoi, dit Pénélope en pleine crise d'autoritarisme au téléphone. Je veux qu'on puisse apporter les preuves à Vernochet ce soir. Il fera la vente à l'émir de Barjah vers dix-neuf heures si aucune information ne lui parvient. Il me l'a dit. L'émir est très impatient. En revanche, si nous avons la preuve que le tableau est bon, Vernochet n'appellera pas Sa Grâce l'émir et laissera les Monégasques casser leur tirelire... Bref, c'est un peu mission impossible, mais tout va bien, tu as une grande heure devant toi. »

*

Une heure pour retrouver ces documents, fouiller la maison de fond en comble, Wandrille n'a pas l'air de s'inquiéter...

Il conduit sa MG dans le plus joli paysage de Normandie, les nuages pommelés n'ont rien d'extrême-oriental, le vent est frais, il se demande en sifflotant si Fujiwara ne sera pas surpris de sa visite à l'improviste.

Le Japonais n'a manifesté aucun étonnement. Il était dans son bureau, il est descendu lui-même accueillir le sympathique rédacteur en chef de *Jardins Jardins*.

« Tu restes assis dans cette cuisine, tu ne cherches pas ? Le compte à rebours est commencé. » Pénélope le harcèle de messages.

Sur le ton le plus aimable, Wandrille lui a demandé s'il pouvait visiter un peu mieux la maison, voir plus de choses que la première fois...

Fujiwara commence par lui faire visiter les pièces qu'on ne montre pas, toute la partie dans laquelle il habite. Wandrille remarque la décoration refaite au temps des réceptions mondaines des années 1980, l'ensemble a été très bien entretenu depuis, de confortables canapés, des orchidées, le dernier numéro du *Journal du Louvre* sur la table basse, l'appartement du directeur est agréable. Sur un chevalet, un éclat nacré et violet, une œuvre en cours, nébuleuse.

À l'étage, Fujiwara lui ouvre une petite pièce sans fenêtres où Monet avait installé son laboratoire photographique. Des placards partout, de hautes étagères. Faut-il chercher dans ce cabinet noir ? Wandrille fait attention à ne jamais tourner le dos à son hôte, qui ne le laisse pas explorer seul. S'il rabattait la porte pour l'enfermer là ?

Dans les lectures de son enfance, Wandrille adorait ces Arsène Lupin où, avant qu'on n'entende sonner le dernier coup de l'horloge, Lupin désignait la cachette sans avoir même pris la peine de chercher. Si Fujiwara a trouvé les documents, il ne les a pas laissés traîner. Il se met à sa place : en bonne logique, il les a laissés dans la cachette, là où ces pièces avaient été à l'abri pendant de si nombreuses années.

Wandrille maintient un sourire sur son visage. Il n'a rien ouvert, rien soulevé, mais il va trouver, par la seule force de son intelligence. Il sent qu'il a de quoi éblouir Pénélope.

Seulement, il n'a plus qu'une demi-heure, et il n'a pas encore la moindre fichue idée de l'emplacement où il faudrait chercher. Si tant est qu'il y ait quoi que ce soit à trouver dans cette maison !

Il demande à Fujiwara s'il peut revenir une dernière fois dans les appartements de Monet, en commençant par les si jolies pièces du rez-de-chaussée... Le Japonais va commencer à trouver cela bizarre. Il fait semblant de prendre des notes et écrit dans son carnet : Pénélope, Pénélope, Pénélope...

Fujiwara est appelé par un des surveillants qui lui demande, sur le seuil, s'ils peuvent fermer, il est l'heure, il en profite pour transmettre quelques doléances à son patron... Wandrille saisit ce moment pour téléphoner :

« Allô, Pénélope ? J'ai trouvé.

— Tu es dans quelle pièce ?

— Je suis revenu dans la cuisine. Je suis seul pour deux minutes, il va revenir.

— Les documents y sont ?

— Non. Fouiller la maison n'aurait eu aucun sens, cette baraque a été refaite plusieurs fois, on a scruté les planchers, refait les sols, changé les poutres, dans les années 1980 on a tout remis aux normes une première fois, on a lancé un nouveau chantier il y a deux ans, les architectes des Monuments historiques ont dû sonder les murs, rejointoyer les pierres, démonter et remonter tous les lambris, tu penses bien qu'on a tout retourné depuis des années dans cette maison qui n'est pas si grande.

— Tu renonces, alors. Le petit tas de secrets de Claude Monet est ailleurs. On abandonne...

— Tu ne m'écoutes pas. J'ai trouvé. »

11

Le bureau à cylindre

Paris, mardi 28 juin 2011

Wandrille a tenu un raisonnement enfantin. Ces papiers de Monet, s'ils existent, sont sans doute ce que le peintre avait de plus précieux.

Si Clemenceau était venu le voir au lendemain de l'armistice, c'est pour lui demander expressément de les brûler.

Ce que Monet, cabochard, n'avait évidemment pas fait. Il n'allait pas détruire ce qui prouvait qu'il avait servi la France, qu'il avait joué sa partition dans le grand orchestre du Père la Victoire.

Où cacher ce à quoi on tient le plus ? Dans ce qui pour vous est le plus précieux. Ce qui lie Monet à Alice, ce qui est le symbole de leur histoire. Ce qui est aussi le plus incongru et le plus rare de leurs biens. Ce qu'il voit tous les jours, devant son lit, dans sa chambre, ce qu'il surveille du coin de l'œil en permanence, là où les enfants auraient bien trop peur d'aller fouiller : son bureau.

Wandrille a en tête toute l'histoire de ce bureau. Il la fait défiler en deux minutes. Ce bureau c'est un meuble de prix, mais c'est surtout un symbole.

C'est un meuble qui surprend dans la chambre de Monet. Il lui venait semble-t-il d'Ernest Hoschedé.

Ernest Hoschedé est oublié, et Wandrille trouve que c'est injuste. On en fait toujours un cocu malheureux. Il avait joué un grand rôle dans la société artistique de la fin du XIXᵉ siècle, il n'a pas eu de chance : il a fait faillite, il a été bien puni de sa passion pour l'impressionnisme. Claude Monet a séduit Alice, sa femme, et c'est tout ce que la postérité a retenu de cet homme de talent. Fils d'un commis et d'une caissière, il n'était pas du grand monde. Sa femme Alice, la future Mme Monet, a une dot de 100 000 francs et l'espérance d'hériter du château de Rottembourg à Montgeron. En 1870, à la mort du père Raingo, ils s'y installent, Hoschedé y place sa collection de vieux meubles chinés en salle des ventes et d'achats faits chez Paul Durand-Ruel, qui à cette époque vend de jolis Corot et des peintres de Barbizon. Monet, époux de la poétique Camille Doncieux, crève la faim. Dès 1872, Hoschedé achète un premier Monet. Il commence à revendre ses premières amours, ses Corot, Gustave Doré, Chintreuil ou Vollon.

C'est lui qui, après l'exposition de 1874, alors qu'il connaît des revers financiers, acquiert pour 800 francs *Impression, soleil levant*. Il était devenu un des propriétaires de la *Gazette des Beaux-Arts*, avec le brillant Charles Ephrussi et Édouard André, l'homme du futur musée Jacquemart-André. Mais l'achat de la toile majeure de la période lui a porté malheur. En 1875, il abandonne son entreprise. Il cède ses parts de la *Gazette*. Il avait acheté cinquante-deux Monet, avant sa faillite en 1877. L'année où sa femme lui donne un Monet de plus, mais qui n'est plus un tableau puisque c'est un enfant, Jean-Pierre – et peut-être la petite Germaine était-elle déjà la fille de l'artiste. L'été suivant, Alice s'installe avec sa famille à Vétheuil, chez Camille et Claude Monet. Ernest Hoschedé n'est mort qu'en 1891. Un an plus tard, Alice Hoschedé, discrètement, épouse Claude Monet. Tout le monde aujourd'hui est à Giverny, dans le même tombeau.

De la splendeur Hoschedé, après la vente du château de Rottembourg, il ne restait que ce bureau. Il résumait toute cette aventure, toutes ces passions, toute cette folie.

De deux choses l'une : soit Fujiwara a trouvé les documents, les a étudiés, et les y a selon toute probabilité cachés à nouveau – et alors il a de bonnes chances d'être aussi au cœur du crime, avec Paul Preston, selon l'hypothèse de Pénélope. Soit les documents n'ont jamais été trouvés. Dans les deux cas, ils sont là – ils ne peuvent pas se trouver ailleurs.

«Je suis monté dans la chambre en courant quand j'ai compris, j'ai laissé Fujiwara dans la cuisine qui m'a pris pour un fou.

— Et tu as constaté que la pièce maîtresse avait disparu.

— Comment sais-tu ?

— Que tu es stupide parfois, Wandrille. On a vu mon directeur du Mobilier national qui le déménageait, ce bureau... Reviens sur terre, suis un peu, tu es plus qu'endormi. Et c'est à la suite d'un caprice de ton père qui a voulu qu'on restaure à toute allure son frère jumeau que ce bureau est parti pour mes ateliers des Gobelins... Il est en sûreté. Tu sais qui il faut appeler pour pousser la bobinette et faire choir la chevillette ? L'officier de sécurité de monsieur ton ministre de père. Il m'a fait une démonstration. Il est plus que doué. C'est Robert, je crois, son prénom... »

12

Comment Monet a gagné
la Grande Guerre

Paris, mardi 28 juin 2011

Dans l'immense hangar où dorment les meubles de la France, le bureau de M. Monet est debout sur une palette en bois blanc, comme une caisse de légumes dans un grand magasin. À côté de lui brille son frère ou son cousin, que les restaurateurs sont en train de revernir au tampon, après avoir mesuré toutes les cotes qui permettent d'affirmer que ces deux meubles ont été fabriqués à l'aide des mêmes gabarits et qu'ils sont sortis du même atelier probablement à la même date. On a démonté les bronzes, on les a nettoyés, ils sont en train d'être refixés.

Wandrille a appelé l'officier de sécurité de son père, qui somnolait dans sa voiture. Le ministre est à l'Assemblée, il n'en sortira que très tard, l'idée d'aller aux Gobelins expertiser un bureau séduit Robert plus que la perspective de lire une seconde fois le dernier numéro de *Jardins Jardins* qui traîne sur la banquette : un spécial boutures avec un grand dossier central « Réussir votre bouquet ». Le ministre en a acheté une pile pour doper les ventes.

Robert rejoint Wandrille en vingt minutes. Pénélope a appelé sa collègue de bureau, qui, sans avertir l'administrateur général, les a tout de suite conduits dans l'entrepôt.

Le mécanisme se trouve être exactement le même que pour le premier bureau. Robert ralentit ses mouvements comme un prestidigitateur s'apprêtant à réussir le numéro de la femme dans le coffre. La porte secrète se déclenche. Wandrille se hisse sur la pointe des pieds pour apercevoir le trésor.

Le tiroir est vide.

Wandrille est blême : « Évidemment, ce maniaque d'art floral, Kintô Fujiwara, a dû tout vider ! »

Le Japonais avait été prévenu du transfert du bureau « pour étude » au Mobilier national, il avait eu le temps de sortir les papiers de la cachette, peut-être même cela s'était-il fait cinq minutes avant qu'il n'accueille, en s'inclinant, Pénélope et Wandrille sur le perron de la maison...

« Attendez », dit Robert.

L'officier déboîte le tiroir, le fait sortir de son logement avec un air de fierté qui surprend Wandrille.

Des liasses de lettres apparaissent. Elles n'étaient pas à l'intérieur du tiroir secret, elles étaient dessous, dans la coque même du meuble.

Monet n'a rien trié, il les jetait là pour les cacher – et il y en a des centaines ; toute la correspondance qu'il avait promis au Tigre de brûler ce fameux jour de novembre 1918.

Wandrille a pris avec lui le grand sac de sport qu'il utilise au Cercle et qui traîne toujours à l'arrière de sa voiture, il explique à la collègue de Pénélope que c'est à la demande expresse du directeur de Giverny qu'il faut mettre à l'abri ces papiers. Il sort, triomphant. Pénélope, ne doutant pas du succès, a appelé Vernochet à l'heure dite pour lui demander de geler la transaction.

Wandrille a une soirée devant lui pour étudier, seul, ces documents que tous les fous de Monet rêvent de voir un jour publiés.

Au piano, le voisin de Wandrille – Sophie s'est disculpée – se lance. Wandrille qui n'y tient plus monte à l'étage et tambourine. Il trouve un maigrichon en caleçon, une partition à la main.

« Vous progressez dans la *Pathétique*...

— Ben, c'est la *Pastorale*.

— Vous voyez que vous feriez mieux d'arrêter Beethoven.

— Il n'est que huit heures, les nuisances ça ne commence...

— C'est vous qui êtes une nuisance ! Vous n'avez pas plutôt une petite amie ? Un ordinateur ? Vous connaissez Internet ?

— Vous voudriez que je branche le casque ? Il y en a un avec ce clavier, c'est tout simple. Vous auriez dû monter me le dire, je suis confus... »

Wandrille aura mis un mois à oser faire cela. Il se sent un homme, un héros. Il redescend. Il met un disque de tango. Il respire. Il va comprendre, dans le silence, ce que la France doit à Claude Oscar Monet, peintre impressionniste.

Il a une soirée à passer en tête à tête avec son principal rival – en ce moment – dans le cœur de Pénélope : c'est pour elle qu'il va percer les secrets du maître de Giverny.

Les documents sont nombreux, certains sont illisibles car entièrement chiffrés, mais beaucoup d'autres ne sont pas codés. Wandrille va d'instinct à ce qui lui semble important – vivre avec une conservatrice, c'est utile. Une série de liasses sont numérotées de 1 à 25 et se suivent. Un mot est collé sur la première :

« Mon vieux Monet,

« Je te renvoie en les confiant à Alice qui ignore ce qu'elle t'apporte – elle croit que ce sont des livres – ces documents qui ne sont plus en sûreté rue de la Pépinière. Ce sont toutes nos négociations à propos de Monaco, de l'Italie, les dossiers chiffrés des Américains et des Anglais.

« Je sens qu'on va me faire la peau, mais je saurai me défendre. J'ai vu rôder gare Saint-Lazare l'espionne des Boches qui a failli nous avoir la dernière fois déjà, la prochaine fois elle ne me ratera pas... Elle me tuera et elle racontera des calomnies pour me salir... Je l'ai même aperçue l'autre jour, cette fille, qui adressait la parole devant chez nous à Léon, mon neveu, tu sais comme il est naïf et romantique. Je devrais mieux surveiller cet enfant.

« Si ça tourne mal pour moi, dis à Clemenceau que je l'ai bien servi. Je me demande ce que nos adversaires vont inventer pour me salir, on va m'accuser de trahison, comme Dreyfus, ou m'éliminer plus discrètement. Ma fierté est de savoir que ma maison aura servi à ces rencontres diplomatiques qui nous sauveront peut-être, si bientôt il y a la guerre. Quand je pense qu'on est même arrivé à faire croire au voisinage que la villa était une maison de rendez-vous ! Imagine la tête de ta femme et de la mienne si elles l'apprenaient. Celui sur qui nous pouvons compter, c'est Carré, mon majordome. Je crois qu'il n'est pas très agressif envers le beau sexe, sa femme s'en plaint à mots couverts, il n'en est pas moins loyal à notre cause, et c'est un bon patriote. C'est à lui que je confie ces liasses, qui seront mieux à l'abri chez toi à Giverny, dans ta fermette, que chez nous.

« Veille aussi sur la nappe de ta cuisine.

« Salut et fraternité.

« Ton fidèle Rémy. »

Wandrille a passé la nuit à lire. Il a compris que Monet, comme Dechaume et sœur Marie-Jo l'avaient imaginé, avait été partout où Clemenceau l'envoyait, pour s'informer, rencontrer des gens, faire passer des messages. Il avait été le roi des espions. Il était allé en Italie. Il avait rencontré toute la société londonienne. Il avait rendu un rapport sur la Tour de Londres et sur les places fortes de la côte ligure, il avait plusieurs fois bravé les douaniers, il avait été le plus indispensable des honorables correspondants.

Son amitié avec le prince Albert Iᵉʳ de Monaco avait été forte, et secrète. Personne n'avait su qu'il était parti plusieurs fois en mer avec le prince et des diplomates français, et pas seulement pour discuter de peinture.

Surtout, Monet avait sauvé l'indépendance du Rocher, et déjoué là-bas une partie de poker menée par le Kaiser. Wandrille téléphona à Pénélope pour le lui raconter.

À Monaco, Monet n'avait que très peu peint. Il avait agi.

« Pénélope, que me réponds-tu si je te dis Mindaugas ?

— Il est trois heures du matin...

— Mindaugas II, roi de Lituanie.

— Mon Dieu, quel nom, comment en arrive-t-on là ?

— C'est la clef de cette aventure. Monet a sauvé Monaco – mais je ne crois pas qu'il y ait peint un cycle de toiles pour le prince... Il a aussi sauvé la France. C'est grâce à lui qu'on a fini par humilier le Kaiser, que les Américains sont entrés dans la guerre...

— Comment ?

— Tu sais qu'en 1917 le président Thomas Woodrow Wilson a passé des heures à poser pour son portrait par Sargent ? John Singer Sargent et Monet étaient en communication constante, de vieux amis, j'ai ici trente messages de cette année 1917. Sargent faisait passer à Wilson, grâce à Monet, toutes les idées du Tigre. Quand le portrait a été fini, Wilson était décidé, les Américains sont venus à notre secours ! Monet a été le meilleur ! Wilson n'écoutait pas ses ministres, et encore moins le Département d'État.

— Le drame éternel des ministres des Affaires étrangères, la politique étrangère se fait sans eux...

— Aucun diplomate n'aurait eu plus de poids que Sargent, ce peintre qui connaissait si bien l'Europe, qui fréquentait tout ce qui compte à Paris, Londres et Venise, Wilson l'a écouté. Et Sargent raconte dans une lettre que j'ai là qu'il récitait les télégrammes de son ami Claude Monet dictés par Clemenceau.

— Et Monaco ?

— J'allais t'expliquer mais tu m'interromps tout le temps. C'est l'affaire Mindaugas ! Le plus beau peut-être... »

Frédéric de Wurtemberg, duc d'Urach, était un prince de la Belle Époque. Un prince inquiétant et qui persistait à ignorer son potentiel comique, avec sa moustache en guidon de vélo copiée sur celle de son cousin le Kaiser. Il présentait un danger pour la France républicaine, et pour les amis libéraux de Clemenceau : il était l'héritier présomptif de Monaco. Le duc d'Urach était le fils de la charmante Florestine de Monaco, et à Monaco la légitimité dynastique peut se transmettre par les femmes. Or Albert, le prince navigateur, avait un fils, le futur Louis II, mais celui-ci n'avait pas de descendance. Il était à craindre qu'un jour ce cousin du Kaiser ne vienne narguer les Français du côté de Nice et Menton.

Monet s'est rendu en Norvège pour rencontrer des Russes, des Lituaniens, des Suédois, dont le prince Eugène, il a joué les diplomates. Il fallait trouver un autre royaume pour le duc d'Urach. Clemenceau y tenait. Et surtout Albert Ier de Monaco, qui souhaitait à toute force transmettre à ses descendants directs le trône des Grimaldi, qui seraient attentifs à ses aquariums.

Après l'écroulement de l'Empire russe, en pleine Grande Guerre, le Kaiser a imaginé de faire main basse sur les pays baltes. Frédéric d'Urach fut propulsé roi de Lituanie, et renonça du coup à ses droits sur Monaco. Il changea même de nom, et devint Mindaugas II en souvenir d'un Mindaugas du XIIIe siècle, certain d'être ainsi adulé par ses nouveaux sujets.

Cet éphémère royaume dura moins d'un an, Mindaugas, qui n'avait même pas eu le temps de se rendre à Vilnius, tomba avec le Kaiser. Albert Ier de Monaco put se réjouir de tout cela. Son fils Louis reconnut plus tard une fille nommée Charlotte, dont la naissance avait été discrète, et qui épousa Pierre de Polignac : ce sont les parents de Rainier III de Monaco et les grands-parents d'Albert II.

Le triangle secret formé par Albert Ier, Clemenceau et Monet avait réussi à écarter le péril. On n'entendit plus parler de Mindaugas – et les cousins Urach ne semblent pas être cités par *Paris Match* parmi les invités du mariage qui se prépare. Les peuples heureux n'ont pas d'histoire.

13

En pleine nuit au musée Marmottan

Paris, mercredi 29 juin 2011

Monet sortait héroïque de l'affaire. Pénélope l'aimait de plus en plus. Mais il y avait toujours, à Monaco, un Américain milliardaire écologiste et une religieuse de Picpus sous les verrous, qui étaient peut-être innocents l'un et l'autre. Et en liberté, Thomas Wallenstein, Antonin Dechaume, maître Vernochet, Kintô Fujiwara, que Pénélope et Wandrille avaient tour à tour soupçonnés, parmi lesquels il y avait sans doute le vrai coupable.

L'affaire s'était simplifiée, elle n'était pas éclaircie. Carolyne Square était morte – son assassin demeurait inconnu.

Wandrille, dans son bain, alors que cette fois c'était Pénélope qui se consacrait au dîner, eut une inspiration digne non plus de Lupin ou de Maigret, mais d'Archimède. Il repensait à la première fois où il avait

vu l'homme au blouson, ce Preston, enlevant Marie-Jo
au Café de Paris. Il était évident qu'il n'avait pas l'étoffe
d'un génie du crime. Il avait agi, mais il n'avait rien
inventé. Pénélope avait raison de dire que dans cette
affaire il n'y a sans doute pas un coupable mais deux.
Elle a eu tort de s'orienter vers Fujiwara, elle n'a rien
compris. Il sortit nu de l'onde, version masculine de
Vénus anadyomène :

« Il y a une chose toute simple, que nous avons oublié
de vérifier, Péné : qui, parmi les suspects, est membre
du Cercle ?

— Thomas Wallenstein, puisqu'il y avait donné
rendez-vous à la pauvre Mrs. Square.

— Oui bien sûr, il ne l'a jamais caché. Mais son
avion n'avait pas encore atterri à l'heure où elle est
morte. Qui pouvait entrer boulevard Saint-Germain,
descendre en saluant le gardien à l'entrée d'un air
complice, égorger la malheureuse Américaine, et
ressortir sans éveiller l'attention ? C'est par là qu'il
fallait commencer, ce ne pouvait être qu'un habitué...
La police a interrogé tous ceux qui se trouvaient là,
vingt-quatre suspects, tous innocents, elle n'a pas
regardé qui était sorti dans les vingt minutes qui précé-
daient la découverte du meurtre... Je ne sais pas si le
gardien est capable de le dire, mais si nous regardons
parmi nos suspects...

— Mets donc une culotte. Il suffit de consulter la liste
de ceux qui cotisent au Cercle. Vous êtes nombreux ?

— Moins de trois cents, je pense... On aurait dû
commencer par là, c'est vérifiable immédiatement.
Je connais la secrétaire qui tient les registres. Allons-y.
À mon avis...

— Maître Vernochet, c'est le seul qui ait le style "membre de club", non ?

— Je ne crois pas, je ne l'ai jamais vu. Non, j'ai un autre soupçon... On court vérifier ! Zut zut zut zut, c'était évident... »

*

Wandrille, sur place, a monté quatre à quatre l'escalier à double révolution – toujours la forme circulaire chère à Charles Garnier – et est entré dans le bureau de la secrétaire avec l'aisance de James Bond jetant son chapeau sur le portemanteau de Mrs. Moneypenny. Le registre était accessible... Il savait à quelle lettre chercher.

À la lettre D, ce n'est pas Antonin Dechaume qu'il a trouvé, mais un autre prénom : Paprika, qu'il se souvenait d'avoir en effet croisée de temps à autre avec ses ballerines bleues, telle que Pénélope la lui a décrite, cette femme en pleine forme qui prenait soin de son dos, de ses genoux, de son bronzage...

Il ne savait pas qu'elle était la femme du directeur du musée Marmottan. Il venait de le déduire... Une recherche internet sur son téléphone lui montra son visage, aucun doute. Il la voyait en général le mercredi, il l'appelait « la vieille danseuse », et l'admirait même un peu pour son allure.

Paprika Dechaume, toujours à l'affût de ce qui pouvait être « jeune et branché » dans Paris, avait été une des premières à cotiser au Cercle. Dans la liste des trois cents noms, on ne trouvait ni Fujiwara, ni son mari Antonin, à qui la sculpture tenait lieu de culture physique, ni maître Vernochet, ni sœur Marie-Jo...

Il n'y avait que Paprika.

Elle seule pouvait entrer et sortir, se faufiler dans le club comme un chat, passer devant le portier avec l'aisance d'une habituée. Elle seule pouvait savoir que Carolyne Square y viendrait à ce moment-là, Carolyne avec laquelle elle faisait semblant d'entretenir de bons rapports, à laquelle elle avait pu téléphoner, ne serait-ce que pour lui demander où elle était passée à la fin du dîner... Et Pénélope rappela alors à haute voix le précepte fondamental de Sherlock Holmes : quand toutes les hypothèses vraisemblables ont été écartées, et quand il ne reste qu'une solution, si invraisemblable soit-elle, alors cette idée folle s'appelle la vérité.

Toutes les pièces s'assemblaient, le Rubik's Cube se reformait en une seconde. Paprika avait fait alliance avec l'homme au blouson de daim, elle l'avait manipulé. Paul Preston allait l'aider à se venger de Carolyne, il la renseignerait sur les séjours à Paris de sa rivale – et comme il avait accès au laboratoire, elle avait compris que ce brave Preston, qui avait fini par haïr sa femme, pouvait servir aussi à faire entrer des Monet dans le catalogue raisonné.

L'idée d'éliminer Carolyne s'était doublée d'une envie plus forte encore peut-être : s'enrichir en vendant un faux Monet qui disposerait d'un vrai passeport, une belle notice dans la mise à jour du catalogue. Il fallait donc obtenir aussi la bénédiction de la petite sœur de Picpus.

Paprika en collant noir et ballerines avait payé de sa personne, en s'introduisant de nuit à Giverny – les cours de gymnastique et d'aïkido du Cercle avaient été bien utiles. Elle avait fait la photo – bonne idée, pas assez bien réalisée. Elle avait obtenu de Paul Preston qu'il truque les analyses. Ensuite elle avait tué la femme de Paul, qui n'avait pas assez de cran pour agir lui-même. Elle avait égorgé cette Carolyne si intelligente, qui était en train de lui prendre son mari, et qui n'avait pas du tout eu peur, au moment ultime, en reconnaissant ce joli visage à cheveux blancs en train de se pencher sur elle.

*

Wandrille et Pénélope sont arrivés de nuit à Marmottan, avec une voiture de la police. Antonin Dechaume n'était pas là. Il dormait parfois dans son atelier. Il n'apprendrait la vérité que le lendemain matin par un appel du commissariat du XVIe arrondissement.

Ils ont filé directement au pavillon du fond de jardin, l'élégant logis du directeur. La porte d'entrée n'était pas fermée, la maîtresse des lieux dormait, dans sa chambre. Quand ils sont tous entrés, en force, cela a fait pas mal de bruit. Paprika a beaucoup crié. Puis elle s'est rendue. Enfin, elle a parlé.

Elle haïssait Carolyne Square – parce que Carolyne voulait épouser son mari, mais aussi, dit-elle, parce que Carolyne n'attendait qu'une chose, qu'elle débarrasse le plancher pour prendre sa place, pour être la première dame de Marmottan.

Pénélope, dans la petite pièce sans fenêtre du commissariat, où s'est déroulée la fin de cette nuit, se dit que cette femme est folle, mais continue à l'écouter. Elle veut comprendre pourquoi on en arrive à tuer.

Pourquoi aussi Carolyne Square était animée de ce désir si fort mais totalement absurde de conquérir une place dans ce joli musée – même si Antonin Dechaume a du charme... Même si on peut avoir envie de vivre dans la plus belle collection d'impressionnistes qui soit... Pénélope ne comprend pas tout. Le mystère est du côté de l'assassin, mais aussi du côté de sa victime.

Carolyne Square avait une fascination pour Claude Monet qui dépassait l'admiration qu'on peut avoir pour un artiste. Elle semblait savoir, depuis toujours, ce que Wandrille venait de découvrir en lisant les lettres. C'est ce que son mari, l'Américain en blouson de daim devenu résident monégasque, a expliqué à la police du Rocher. Il a donné l'explication en peu de mots.

Wandrille s'est frappé la tête avec ses mains quand il a compris. Là encore, c'était simple, il aurait pu trouver lui-même – Archimède, Lupin, Maigret auraient trouvé. De quoi enrager.

Carolyne Square était victime de ses ancêtres. Elle portait un secret depuis son enfance, qu'elle avait confié à son mari. Née aux États-Unis, dans une famille qui prospérait depuis deux générations dans le Connecticut, elle était d'origine française. Elle avait grandi dans le culte de Monet. Elle avait séduit et convaincu Thomas Wallenstein en lui faisant visiter son laboratoire d'analyses unique au monde mais surtout en lui parlant du peintre avec une connaissance très précise de sa vie et de ses toiles. Elle semblait en savoir sur lui plus que les historiens officiels.

Son arrière-grand-mère avait simplement fait traduire leur nom de famille quand ils étaient arrivés

à New York, avec des émigrants venus de Pologne et
du Portugal. Elle aurait dû s'appeler Carolyne Carré,
comme son arrière-grand-père. Elle avait pour ancêtre
direct le majordome de M. et Mme Rémy-Raingo,
à Paris, rue de la Pépinière. Elle héritait de ce drame
et du souvenir de cette maison où les hommes du Tigre
avaient organisé, avec Monet, avec les Rémy, le dispo-
sitif qui allait servir, quelques années après, à sauver
la France en guerre. Pierre Carré avait été un héros,
un adjoint hors pair pour Monet et pour Clemenceau,
qui n'avaient pas pu le défendre quand une espionne
du Kaiser était venue éliminer Rémy et transformer
le meurtre en une histoire sordide. Il était resté muet
devant le tribunal.

Elle avait juré de venger la mémoire de son grand
père, mort innocent, au bagne de Saint-Laurent-
du-Maroni. Elle voulait le réhabiliter. Retrouver les
documents secrets qui montreraient au monde quel vrai
rôle il avait joué. Elle y serait parvenue si elle n'avait
pas été assassinée.

*

Le 5 décembre 1926, Monet est mort à Giverny.
Il n'avait sans doute pas oublié les Rémy, il avait de
quoi être fier de ce qu'il avait fait pour la France :
grâce à lui, les Américains étaient arrivés au bon
moment dans cette fichue guerre – et ils avaient pu
dire « La Fayette, nous voici ». Les Anglais avaient su
que Clemenceau était prêt à jouer leur jeu, le prince
de Suède ne soutiendrait pas un obscur prince alle-
mand pour monter sur le trône de Monaco, le prince

Albert Ier avait pu jouer pleinement son rôle sur l'échiquier politique européen et défendre les belles idées qui feraient triompher la cause des innocents, des opprimés, et des poissons de toutes les mers du globe – et lui, Monet, avait pu peindre jusqu'à ce que sa main ne soit plus capable de tenir le pinceau, seul dans sa nuit, avec ses lunettes opaques, scaphandrier perdu dans la peinture.

Il n'avait bien sûr pas détruit les lettres, et Clemenceau se doutait bien qu'il ne l'avait pas fait. Clemenceau savait que les documents les plus importants, ceux qui avaient contribué à la Victoire, ceux qui concernaient l'entrée en guerre des Américains en 1917, les liens avec les ministres britanniques, étaient écrits en code, indéchiffrables. L'affaire monégasque, les comptes rendus de réunions à Bordighera, nécessitaient moins de précautions, ces affaires-là, il aurait compris que Monet en garde quelques traces. Mais les documents chiffrés, eux, il aurait vraiment fallu les détruire, qu'on ne sache jamais combien d'argent on avait dépensé pour mener cette politique de l'ombre. Aux yeux de l'Histoire, quelle importance !

Le code secret, Monet et lui l'avaient utilisé ensemble, pour la dernière fois, ce fameux 18 novembre 1918. Monet riait toujours de la cachette qu'il lui avait trouvée : Alice avait brodé, le long de l'ourlet de la nappe en cretonne de la cuisine, deux séries de lettres qu'il suffisait de superposer en pliant le tissu en diagonale.

Le jour de l'enterrement de Monet, le Tigre avait vu, au premier coup d'œil, cette nappe avec ses petites fleurs sur la table en bois peinte en jaune.

Il avait alors eu ce geste historique et ce mot devenu fameux : «Pas de noir pour Monet», et le cercueil était parti drapé dans la nappe en cretonne.

Les vingt-deux panneaux des *Nymphéas*, assemblés comme une tapisserie, ont pris place peu de temps après la mort du peintre dans le bâtiment de l'Orangerie, au bord du jardin des Tuileries. George Clemenceau présida bien sûr en personne à l'inauguration. Les invités des premiers jours eurent l'impression d'entrer dans un aquarium avec des fenêtres découpées ouvrant sur un monde sous-marin inconnu et nouveau, comme s'ils voyaient l'invisible. Le cercle de toiles peintes s'était refermé.

14

Un hôtel au bord des pistes

Dans la neige, le 2 juillet 2011

La matinée de ski a été épuisante. Pénélope a des courbatures, Wandrille est en nage. Ils sont heureux. Une belle poudreuse en juillet, c'est une surprise. Leur suite donne sur les pistes, ils se déshabillent devant la grande fenêtre, en plein soleil. Leurs caresses sont tendres, sans paroles, ils se regardent. Cela fait des années qu'ils ne sont pas allés skier. Ils se sont roulés sur la peau de mouton sur le parquet en larges planches de bois en poussant des cris de sauvages.

Wandrille a décidé de partir sur un coup de tête. Trop d'émotion, trop de cavalcade, il a senti que, pour la première fois depuis qu'ils se connaissent, Pénélope avait besoin d'un peu de calme et de repos. Il n'a rien dit. Il a écrit son article sur le mariage du prince et de la princesse de Monaco la veille de l'événement, et il a pris deux billets d'avion. Ils allaient manquer la fête, tant mieux, ils la verraient en même temps que le monde entier. Wandrille s'est dit qu'il pouvait toujours improviser un voyage de noces sans noces. C'est lui qui a eu cette idée de ski et il ne regrette pas. Leur mariage attendra encore un peu : ils n'ont jamais été plus amoureux.

Pénélope a sympathisé avec le moniteur, en blouson rouge, toute surprise de découvrir qu'il s'agit d'un Français, ils ont parlé de l'école de ski de La Clusaz, où il a fait ses classes – certaine de l'effet que tous ces échanges de sourires produiraient, au retour, sur Wandrille. Lui faisait des photos d'une petite famille en luge, des Émiratis avec leurs nannies philippines riant très fort. Le bellâtre de La Clusaz s'est amusé, il a passé un coup de téléphone et ça a déclenché une tempête de neige qui a duré dix minutes, puis le soleil est revenu. Dommage, se dit Pénélope, qu'il y ait cette odeur de plastique chauffé, mais on l'oublie vite. Ce soir fondue et raclette, au restaurant de l'hôtel, mais pas de vin chaud, c'est interdit. Le *mall* est réputé parce qu'il y a un restaurant où on sert le meilleur chocolat fumant de tous les émirats, à ces hommes en longues tuniques blanches et doudounes noires, des pingouins dans un orchestre.

Les pistes sont abritées par une immense coque de plexiglas, un œuf posé sur le désert, et leur hôtel est le plus beau chalet du Moyen-Orient. À l'extérieur il fait cinquante degrés, dans la bulle, c'est le vrai froid alpin. Wandrille n'a pas lésiné, il avait un mois de salaire d'économies, Pénélope méritait un cadeau princier.

Un message du ministre des Affaires étrangères de la France – que Wandrille n'aurait sollicité pour rien au monde, il vient encore de perdre trois points de sondage et de sortir du «baromètre Figaro-Sofres», c'est la honte – a gentiment adressé un télégramme diplomatique à son homologue à Barjah : parmi les voyageurs qui partaient ce jour-là se trouvait une jeune conservatrice de musée qui avait su éviter, cette semaine, à Sa Grâce l'émir de Barjah l'acquisition très coûteuse d'un faux tableau de Claude Monet. Dès l'aéroport, on leur signalait qu'ils seraient finalement en première classe, invités personnels de l'émir ; à leur arrivée au Barjah Palace, la meilleure suite les attendait, avec les grandes fenêtres sur la fausse neige, au sommet du building.

Wandrille n'a pas tout compris, il lui manque un élément du puzzle : pourquoi au cours du fameux dîner de Marmottan, l'électricité a-t-elle été coupée ? Comment, pour fuir ensemble, ces deux partenaires qui venaient de se découvrir ont-elles réussi, par la seule force de la pensée, à faire sauter le disjoncteur ? L'histoire a commencé comme ça, c'est le premier mystère de cette aventure, le seul qu'ils n'aient pas résolu.

Pénélope le regarde, bat des cils, l'embrasse : elle a la réponse, d'une logique parfaite. C'est même la première question qu'elle a posée à Marie-Jo, quand elle est venue la rechercher et la faire libérer au poste de police de Monaco. Elle a oublié d'en faire le récit à Wandrille, tellement il y avait de choses à faire dans cette première classe d'avion : un dîner délicieux, de la musique, des films...

En réalité, les deux femmes ne sont pas parties ensemble. Elles avaient une idée, née durant leur conversation au moment du cocktail : voir ce fameux tableau de Monet.

Et ce soir-là, la peinture était là. Carolyne Square venait de faire ses prélèvements. La toile était arrivée le matin même des Ports Francs de Genève, et c'était maître Vernochet en personne qui l'avait convoyée, dans le coffre de sa voiture, sans tambour ni trompette et à la barbe des douaniers.

Le tableau se trouvait dans la chambre forte du musée, sous le grand salon. Sur ce point, Vernochet leur avait absolument menti. Antonin Dechaume le savait, et avait omis de le dire. Wallenstein avait dû en être informé. Dans les affaires criminelles, ce sont parfois les innocents qui mentent le mieux.

« Mais elle était fermée, cette chambre forte, avec une porte blindée, un code, des alarmes.

— À Marmottan, la sécurité est maximale, mais la dernière mise aux normes date des années 1980. Les deux femmes n'ont pas disparu ensemble. Carolyne Square s'est levée la première... Elle ne s'est pas glissée dans la cuisine où régnait une agitation de marmitons et de serveurs, elle l'a traversée, elle a pris l'escalier qui conduit à la cave. L'après-midi même, quand elle était venue faire ses prélèvements de pigments, elle avait repéré l'armoire du disjoncteur. Elle a fait sauter les plombs. Elle a ouvert la porte. Sœur Marie-Jo est venue la rejoindre. Elles en ont oublié cet ennuyeux dîner. Le tableau bien sûr était faux, mais comme il avait été fabriqué par son mari, Paul Preston, il bénéficiait du résultat de ses propres recherches à elle. La toile était ancienne, les pigments correspondaient à peu près. Au premier regard, elles y ont cru. Paul Preston se contenta de faire truquer les résultats des analyses le lendemain, de les envoyer ensuite à Wallenstein, mais ce soir-là la religieuse qui n'avait pas fait vœu de silence et l'Américaine bavarde, heureuses de s'être rencontrées, étaient allées fêter ça toutes les deux dans un bon restaurant au métro La Muette.

— Et le faux tableau, qu'est-il devenu après cette soirée ?

— Je crois qu'il est toujours à Marmottan, enfermé dans les réserves. J'espère que Dechaume ne va pas le faire détruire, ce sera une pièce à conviction intéressante au procès de sa chère Paprika... »

Pénélope rêve d'un bon chocolat chaud, d'un feu de bois, il fait quarante degrés dehors, tout est bien. Une bûche en plastique crépite dans la cheminée de marbre.

« Il n'y a que les imbéciles qui ne changent pas d'avis. Tu savais que c'était une citation de Clemenceau ?

— Tu dis ça à propos de nos projets de mariage ? Mon Dieu, mariage, on allait oublier, vite, la télévision. »

Trop tard, le mariage a eu lieu. La retransmission monégasque s'achève sur TV5 Monde. Le prince et la princesse descendent de leur voiture décapotable. Ils entrent dans une chapelle blanche. Stéphane Bern explique qu'il s'agit de Sainte-Dévote, dédiée à la patronne du pays. Pénélope est furieuse, ils ont raté l'échange des alliances, l'archevêque, le président de la République, les altesses venues de partout, David Beckham, la cour du palais décorée, les chants, les fleurs, Mozart et Bach... Devant Sainte-Dévote, des Monégasques agitent des drapeaux rouge et blanc et des drapeaux de l'Afrique du Sud. Un instant, Pénélope a cru reconnaître le visage d'Édouard, pas étonnant qu'il se soit mêlé à la foule, il n'a pas dû être invité dans la cour du palais et il est amoureux de son prince et de sa princesse, il a peut-être même mis dans sa poche le petit lapin en peluche de son enfance...

Les caméras entrent à la suite du couple. À l'intérieur, deux jeunes femmes en bleu chantent d'une voix très pure un cantique accompagné à la guitare, et Wandrille, que Pénélope foudroie, suggère que c'est repris de *La vie est un long fleuve tranquille* : « Couronnée d'étoiles, la lune est sous tes pas, guide-nous en chemin, étoile du matin. » Wandrille est idiot. C'est très beau. Charlène de Monaco s'appuie sur le bras de son mari et pleure. Pénélope a un peu honte, elle, une grande fille qui a passé l'âge des histoires de princesse, mais elle pleure aussi. Dehors, c'est une cornemuse qui se fait entendre, on joue une ballade irlandaise, en souvenir de la famille Kelly.

Les applaudissements qui crépitent à cet instant ne viennent pas de Monaco, c'est, à travers les vitres, l'équipe olympique de ski de Barjah qui vient d'arriver sur les pistes pour son entraînement quotidien. La vie est une fête.

« Et ta pièce, Wandrille ? Tu avais un sujet superbe, "Où allez-vous, Monaco ?", le prince et l'empereur ?

— Je ne t'ai pas dit ? J'ai tout changé. Il y a désormais trois personnages, et ça se passe plus tard dans le XIXe siècle. Un prince de Monaco, toujours, Albert Ier, le navigateur, un peintre, Claude Monet, et une femme... Tu veux le rôle ? »

PRÉCISIONS HISTORIQUES
ET REMERCIEMENTS

Mes premières pensées vont à la mémoire de Jacques Taddei, de l'Institut, dont j'aimais les improvisations musicales, qui était le directeur du musée Marmottan-Monet quand j'ai commencé à écrire ce roman. Disparu en 2012, cet homme intelligent et talentueux aimait rire et pratiquait l'autodérision avec beaucoup d'élégance : c'est lui qui m'a suggéré bon nombre des plaisanteries cruelles sur Monet et la manière d'organiser des expositions qui figurent dans le début de ce livre.

Ni Jacques Taddei ni son successeur à la direction de ce musée, Patrick de Carolis, n'ont inspiré bien sûr la figure d'Antonin Dechaume, sculpteur, membre de l'Institut, qui dans ces pages occupe cette fonction, réservée à un membre de l'Académie des beaux-arts élu par ses pairs (Paprika, la femme andalouse d'Antonin Dechaume, est elle aussi totalement fictive).

Aujourd'hui Patrick de Carolis poursuit, avec succès, la transformation et la modernisation de ce lieu, tout en veillant à lui conserver son atmosphère d'autrefois.

Mes remerciements vont à Hugues Gall, membre lui aussi de l'Académie des beaux-arts, directeur de la fondation Claude Monet à Giverny, ce jardin et cette maison dont il m'a ouvert les portes avec une absolue générosité. Les moments que j'ai passés avec lui, et les équipes qu'il anime, ont été décisifs pour la construction de cette intrigue, en partie écrite sur les lieux mêmes – comme les précédentes enquêtes de Pénélope avaient été écrites à Bayeux, à Versailles et à Venise.

Au musée d'Orsay, le président Guy Cogeval et les équipes de la conservation m'ont beaucoup appris sur Monet et sa peinture. Qu'ils en soient remerciés ainsi que Laurence des Cars, qui dirige le musée de l'Orangerie et veille avec enthousiasme sur les *Nymphéas*.

Comme dans les autres romans de cette série, de nombreux personnages occupent des fonctions qui sont celles de personnes réelles. En 2011, au moment de l'action, les religieuses de Picpus avaient une mère supérieure, le palais princier de Monaco avait un conservateur des archives, le musée Marmottan des attachés de conservation et Giverny des jardiniers, pour ne donner que quelques exemples : aucun d'eux n'a servi de modèle pour inventer ceux qui jouent ici leurs rôles.

Les amis qui m'ont fait découvrir Monaco y habitent et sont discrets, ils sont les seuls à m'avoir dit qu'ils ne voulaient pas figurer dans les remerciements de ce livre. Qu'il me soit permis toutefois de renvoyer à ma nouvelle «Le Fantôme de l'Opéra de Monte-Carlo», dans le volume collectif *Opéra de Monte-Carlo, renaissance de la Salle Garnier*, préface de S.A.S. le prince Albert II, Le Passage, 2005.

Les collections de peintures du prince de Monaco ne sont pas publiques, hormis celles qui sont accrochées dans les grands appartements du palais princier, ouverts à la visite, celles qui sont en dépôt au Musée océanographique et ce que montre désormais le Nouveau Musée national de Monaco. Ce qui en est dit ici provient du récit de visite qu'en avait donné Véronique Prat en 1985 dans *Le Figaro magazine*, dans le sixième épisode de sa célèbre série «Les chefs-d'œuvre secrets des grandes collections privées», numéro désormais «collector». Le tableau de Monet qui est décrit est imaginaire, même s'il s'inspire d'œuvres réelles de l'artiste, conservées dans plusieurs collections, notamment au Rijksmuseum d'Amsterdam, au Museum of Fine Arts de Boston et au musée Marmottan-Monet.

Le tableau de Monet *Monaco vu de Roquebrune*, parfois intitulé *Monte-Carlo vu de Roquebrune* (catalogue Wildenstein 2015/892a *ter*), peint en 1884, appartenant depuis 2005 aux collections du prince de Monaco, a été exceptionnellement montré en 2013 au musée de Saint-Lô, à l'occasion de l'exposition «De l'impressionnisme à l'abstraction». Le prince de Monaco, qui se trouve être aussi comte de Torigni et baron de Saint-Lô, attaché aux origines de sa famille, s'était rendu à Saint-Lô et à Torigni-sur-Vire en 2011 à l'occasion de l'exposition «La Normandie des princes de Monaco», ce qui peut expliquer la présence pour quelques mois de ce chef-d'œuvre très rarement vu et habituellement accroché dans les appartements du souverain dans la capitale du département de la Manche.

Un autre tableau de Monet, conservé à Monaco, *L'Aurore. La baie de Monaco* (catalogue Wildenstein 2015/891 *ter*), appartenant aux collections du Nouveau Musée national de Monaco (NMNM n° inv. 1993.1.1) et provenant des collections du palais, a été exposé en 2011 dans la principauté, lors de l'exposition «Oceanomania».

Les Monet monégasques évoqués dans ce roman s'inspirent de ces deux toiles, mais sont fictifs – comme, bien sûr, le faux tableau dont s'occupent Pénélope et Wandrille.

Pour comprendre Monet, le mieux est de se lancer, comme dans un roman, dans la lecture du grand livre de Marianne Alphant, *Monet, une vie dans le paysage*, Hazan, 1993, nouvelle édition, 2010.

On lira aussi avec profit, de Pascal Bonafoux, *Claude Monet (1840-1926)*, Perrin, 2007 et, en poche, coll. Tempus.

Irremplaçable, le catalogue de Monet demeure le monument de Daniel Wildenstein, *Claude Monet. Catalogue raisonné de l'œuvre peint*, quatre volumes parus de 1974 à 1985, un volume de supplément paru en 1991, Fondation Wildenstein-Bibliothèque des Arts, et réédition en quatre volumes, Wildenstein Institute-Taschen, 1996.

Taschen a par ailleurs édité séparément, en 2013, *Monet ou le triomphe de l'impressionnisme*, de Daniel Wildenstein, édition remaniée du premier des quatre volumes du catalogue raisonné.

Pour bien montrer que ce roman ne s'inspire en rien des déboires judiciaires de la famille Wildenstein dont on a trouvé de nombreux échos dans les médias, et qui ont déjà fait l'objet de plusieurs livres, on a intentionnellement parlé dans ce roman du catalogue Wallenstein et de l'Institut de recherches Wallenstein. Ceci n'est pas un roman à clefs, et pas non plus un roman sur les « affaires Wildenstein », c'est un roman inspiré par Claude Monet et par son œuvre – dont il se trouve que Daniel Wildenstein, de l'Institut (1917-2001), fut le spécialiste incontesté.

Le catalogue raisonné de Wildenstein et ces biographies ne peuvent qu'être illuminés par la lecture du catalogue de l'exposition du Grand Palais, *Claude Monet, 1840-1926*, RMN-Musée d'Orsay, 2010, dont les commissaires étaient Guy Cogeval, Sylvie Patin, Sylvie Patry, Anne Roquebert et Richard Thomson. La contribution de mon vieil ami Philippe Piguet, critique d'art et petit-fils de Germaine Monet, héritier spirituel de la famille Monet-Hoschedé, m'a tout particulièrement inspiré.

L'idée de l'exposition (fictive) consacrée à l'œil de Claude Monet (avec ses lunettes sous vitrine) vient de celle qui avait été organisée en 2008 par Jacques Taddei au musée Marmottan-Monet, et les développements de Pénélope sur la vision de Monet sont inspirés par le remarquable article du professeur Yves Pouliquen, de l'Académie française, qui prend à juste titre de la hauteur face aux explications «médicalistes» de la peinture, «Ah, l'œil de Monet...», dans le catalogue *Monet, l'œil impressionniste*, Hazan-Musée Marmottan-Monet, 2008, p. 10-20.

Sur Monet et Clemenceau, on se référera à la source : Georges Clemenceau, *Claude Monet*, 1928, rééd. Perrin, 2000, ainsi qu'à l'essai d'Alexandre Duval-Stalla, *Claude Monet-Georges Clemenceau : une histoire, deux caractères. Biographie croisée*, Gallimard, 2010, et Folio, 2013.

Autre témoignage très vivant de la vie de Monet à Giverny, le livre d'un visiteur qui a raconté comment Monet l'avait reçu et lui avait servi du «gâteau de rhubarbe» avant de lui montrer avec fierté ses plantations, Marc Elder, *À Giverny chez Claude Monet*, édition établie et annotée par Jean-Paul Morel, suivi du texte de Claude Monet, *Les Années d'épreuves*, éditions Mille et une Nuits, 2010.

Toute l'affaire du crime de la rue de la Pépinière, qui bouleversa Alice Monet puisqu'elle touchait sa sœur et son beau-frère, est authentique et a été évoquée par Marianne Alphant dans sa biographie. Le récit qui en est donné ici est inspiré des journaux de 1908 (*Le Petit Parisien*, *Le Figaro*, *l'Humanité*). L'affaire a été un peu simplifiée pour les besoins de l'action. Les noms de ceux qui ont alors été jugés coupables et qui étaient peut-être innocents ont été modifiés, par respect pour leur mémoire et par égard pour leurs descendants – en attendant que peut-être, un jour, la justice les réhabilite.

Le rapprochement avec Jules Verne vient de la lecture du livre très stimulant de Laurence Bertrand Dorléac, *Contre-déclin. Monet et Spengler dans les jardins de l'histoire*, Gallimard, Art et Artistes, 2012, en particulier le chapitre « La double vie du capitaine Nemo », p. 107-117, et du catalogue de l'exposition *Oceanomania. Souvenirs des mers mystérieuses, de l'expédition à l'aquarium, un projet de Mark Dion*, préface de S. A. R. la princesse de Hanovre, sous la direction de Marie-Claude Beaud et Robert Calcagno, Nouveau Musée national de Monaco, 2011.

Sur la personnalité d'Ernest Hoschedé, on peut lire de Virginie Monnier, *Édouard André. Un homme, une famille, une collection*, Les Éditions de l'Amateur, 2006, p. 166-167, et le livre de Dominique Lobstein *Défense et illustration de l'impressionnisme. Ernest Hoschedé et son « Brelan de Salons » (1890)*, Dijon, L'Échelle de Jacob, 2008.

La bibliothèque de Giverny, avec ses volumes reliés en toile rouge après la mort de l'artiste – fonds passionnant que j'ai pu consulter grâce à Hugues Gall –, est aujourd'hui bien connue par le livre publié sous la direction de Ségolène Le Men (avec d'intéressantes contributions de Claire Maingon et Félicie de Maupeou), *La Bibliothèque de Monet*, Citadelles et Mazenod, 2013.

Les tapisseries exécutées d'après les *Nymphéas* ont été exposées au Grand Palais en 2010 et au Mobilier national, dans la Galerie des Gobelins, en 2013 pour « Verdures ». Leur histoire est racontée dans l'article de Jean Vittet, « Claude Monet et les Gobelins : une correspondance inédite de Gustave Geoffroy », dans *La Tapisserie hier et aujourd'hui*, Arnauld Brejon de Lavergnée et Jean Vittet (éd.), Paris, École du Louvre, 2011, p. 95-114.

Les anecdotes qui concernent la dynastie monégasque viennent de Jean des Cars, *La Saga des Grimaldi*, Tempus, 2011, où se trouve en particulier le récit de la rencontre entre Napoléon revenant de l'île d'Elbe et le prince de Monaco.

Sur les « Brigades du Tigre », on lira Jean-Marc Berlière, « La seule police qu'une démocratie puisse avouer ? Retour sur un mythe : les Brigades du Tigre », dans Marc-Olivier Baruch et Vincent Duclert (éd.), *Serviteurs de l'État. Une histoire politique de l'administration française, 1875-1945*, Paris, La Découverte, 2000, p. 311-323.

Sur le cimetière de Picpus, le maître livre demeure celui du grand historien de la petite histoire, Théodore Gosselin dit G. Lenôtre, de l'Académie française, *Le Jardin de Picpus*,

Librairie académique Perrin, 1928 et 1955. Le « Petit-Picpus » inventé par Victor Hugo dans *Les Misérables* n'a rien à voir, malgré ce que croient Pénélope et Wandrille.

Contrairement à ce qu'affirment de manière péremptoire des personnages de ce roman, la toile intitulée *Impression, soleil levant* que le musée Marmottan-Monet expose au public semble bien être l'original peint par Claude Monet.

*

Que trouvent ici l'expression de ma gratitude en premier lieu mon éditeur, Charles Dantzig, ainsi que ceux qui, parfois à leur insu, ont inspiré ces pages. Certains sont des fidèles des aventures de Pénélope et figuraient déjà dans les remerciements des trois romans précédents :

Marianne Alphant, Benedikte Andersson et Dario Cordero-Erausquin, Isabelle et Frédéric Andersson, Jean-François Barrielle, Marc Bayard, Laurence Bertrand Dorléac, Florence Boespflug-Leblanc, Violaine et Vincent Bouvet, Fleur et Édouard Bouyé, Barbara et Arnauld Brejon de Lavergnée, Jean Cardot, Laurence Castany de Bussac, Jean-Christophe Claude, Adélaïde de Clermont-Tonnerre, Nicolas Delarce, Chloé Deschamps, Bertrand Dubois, Béatrice de Durfort, Laurent Échaubard, Côme Fabre, Dominique Fanelli, Mère Marie Ferréol, Christine Flon, Bruno Foucart, Aurélie Gavoille, Franck Gellet, Chantal et Pierre Georgel, Estelle Géraud, Élisabeth et Cyrille Goetz, Anne-Catherine Grimal, Michaël Grossmann, Delphine et Stéphane Guégan, Valentine et Markus Hansen, Dominique Jacquot, Barthélémy Jobert, Jacques Lamas, Constance et Laurent Le Bon, Florence Le Moing, Christophe Leribault,

Antonin Macé de Lépinay, Daniel Marchesseau, William Marx, Yves Millecamps, Jean-Christophe Mikhaïloff, Frédéric Mion, Bikem et Roger de Montebello, Patricia et Hugues Moret, Lauranne Neveu, Ziv Nevo Kulman, Christophe Parant, Polissena et Carlo Perrone, Véronique et Arnauld Pierre, Nicolas Provoyeur, Brigitte et Gérald de Roquemaurel, Béatrice et Pierre Rosenberg, Didier Rykner, Philippe Sage, Nicole Salinger, Xavier Samson, Alain Seban, Arlette et Jean-Yves Tadié, Thierry Taittinger, Florence Viguier-Dutheil et Philippe Dutheil, Henri Zerner, Odile et Michel Zink.

Adrien Goetz
dans Le Livre de Poche

LES ENQUÊTES DE PÉNÉLOPE

Intrigue à l'anglaise   n° 31061

Trois mètres de toile manquent à la tapisserie de Bayeux, qui décrit la conquête de l'Angleterre par Guillaume le Conquérant. Pénélope Breuil, conservatrice du patrimoine, va jouer les détectives et reconstituer l'histoire millénaire de la tapisserie, de 1066 à la mort de Lady Diana.

Intrigue à Versailles   n° 31709

Pénélope est nommée au château de Versailles. Dès son arrivée, elle fait trois découvertes : un cadavre, un Chinois et un meuble en trop. Des salons aux arrière-cabinets du château, des bosquets du parc aux hôtels particuliers de la ville, Pénélope va tenter de percer les mystères de Versailles.

Un colloque sur les gondoles offre à Pénélope l'occasion de passer quelques jours à Venise. A Rome, Achille Novéant, membre de l'Académie française, meurt tragiquement. Bientôt, tous les «écrivains français de Venise», club d'ordinaire paisible et inoffensif, sont menacés. Pénélope – secondée par son fiancé-journaliste Wandrille – est obligée de revêtir ses habits d'enquêtrice.

Du même auteur :

WEBCAM, roman, Le Passage, 2003, et Points.

LA DORMEUSE DE NAPLES, roman, Le Passage, 2004, et
   Points, prix des Deux Magots, prix Roger Nimier.

UNE PETITE LÉGENDE DORÉE, roman, Le Passage, 2005, et
   Points.

À BAS LA NUIT !, roman, Grasset, 2006.

LE COIFFEUR DE CHATEAUBRIAND, roman, Grasset, 2010,
   grand prix Palatine du roman historique.

LA NOUVELLE VIE D'ARSÈNE LUPIN, roman, Grasset,
   2015.

LA GRANDE GALERIE DES PEINTURES, Centre Pompidou-
   Musée du Louvre-Musée d'Orsay, 2003.

AU LOUVRE, LES ARTS FACE À FACE, Hazan-Musée du
   Louvre, 2003.

MARIE-ANTOINETTE, Assouline, 2005.

INGRES. COLLAGES, Le Passage-Musée Ingres de Montauban,
   2005, prix du livre d'art du Syndicat national des
   antiquaires.

L'ATELIER DE CÉZANNE, Hazan, 2006.

COMMENT REGARDER RENOIR, Hazan, 2009.

LE SOLILOQUE DE L'EMPAILLEUR, nouvelle, avec des photographies de Karen Knorr, 2008, Le Promeneur.

CENT MONUMENTS, CENT ÉCRIVAINS. HISTOIRES DE FRANCE (direction d'ouvrage), Éditions du patrimoine, 2009.

VERSAILLES, LE CHÂTEAU-LIVRE, anthologie, Artlys, 2011.

MONET À GIVERNY, beau livre, Gourcuff Gradenigo, 2015.

Ainsi que...

Les Enquêtes de Pénélope, série romanesque comprenant :

INTRIGUE À L'ANGLAISE, roman, Grasset, 2007, prix Arsène Lupin.

INTRIGUE À VERSAILLES, roman, Grasset, 2009.

INTRIGUE À VENISE, roman, Grasset, 2012.

INTRIGUE À GIVERNY, roman, Grasset, 2014, le présent volume, et bien d'autres intrigues à venir...

PAPIER À BASE DE
FIBRES CERTIFIÉES

Le Livre de Poche s'engage pour
l'environnement en réduisant
l'empreinte carbone de ses livres.
Celle de cet exemplaire est de :
550 g éq. CO$_2$
Rendez-vous sur
www.livredepoche-durable.fr

Composition réalisée par INOVCOM

Imprimé en France par CPI
en mai 2016
N° d'impression : 2022630
Dépôt légal 1re publication : avril 2015
Édition 04 - mai 2016
LIBRAIRIE GÉNÉRALE FRANÇAISE
31, rue de Fleurus - 75278 Paris Cedex 06